BELLWOOD PUBLIC LIBRARY
W9-AYR-361

PAULO COELHO

Verónika decide morir

Traducción de
Manuel Arbolí Gascón

Grijalbo

VERÓNIKA DECIDE MORIR

Título original en portugués: *Veronika decide morrer*

3a. edición, 2005

Traducción: Manuel Arbolí Gascón
de la edición de
Editora Objetiva Ltda.,
Río de Janeiro, 1998

http://www.paulocoelho.com.br

Editada y publicada según acuerdo con
Sant Jordi Asociados, Barcelona, España.

D.R. 2005, Random House Mondadori, S.A. de C.V.
Av. Homero No. 544, Col. Chapultepec Morales,
Del. Miguel Hidalgo, C.P. 11570, México, D.F.

www.randomhousemondadori.com.mx

ISBN 968-59-5785-1

Impreso en México / *Printed in Mexico*

He aquí que os he dado la potestad de hollar serpientes… y nada os dañará.

LUCAS, 10, 19

Para S. T. de L.,
que comenzó a ayudarme sin que yo lo supiera.

El día 11 de noviembre de 1997, Veronika decidió que había —¡por fin!— llegado el momento de matarse. Limpió cuidadosamente su cuarto, alquilado en un convento de monjas, apagó la calefacción, se cepilló los dientes y se echó en la cama.

En la mesita de noche colocó las cuatro cajas de pastillas para dormir. En vez de triturarlas y mezclarlas con agua, resolvió tomárselas una a una, ya que existe una gran distancia entre la intención y el acto, y ella quería tener la libertad de arrepentirse a medio camino. Mientras, con cada pastilla que engullía se sentía más convencida: al cabo de cinco minutos, las cajas estaban vacías.

Como no sabía exactamente cuánto tiempo tardaría en perder la conciencia, se había llevado a la cama una revista francesa, *Homme*, número de aquel mes, recién llegada a la biblioteca donde trabajaba. Si bien no tenía especial interés por la informática, al hojear la revista se topó con un artículo sobre un juego para computadora (CD-ROM, como lo llaman), creado por Paulo Coelho, escritor brasileño al que había tenido oportunidad de

conocer en una conferencia en el café del hotel Grand Union. Ambos habían intercambiado algunas palabras y ella acabó siendo invitada a comer por el editor de Coelho. Pero el grupo era grande y no tuvo posibilidad de ahondar en ningún asunto.

El hecho de haber conocido al autor, por lo demás, la llevó a pensar que ella era parte del mundo de éste, y leer una materia sobre el trabajo del mismo podía ayudarla a pasar el tiempo. Mientras esperaba la muerte, comenzó a leer pues sobre informática, materia por la que no sentía el mínimo interés, lo cual no desdecía de todo lo que había hecho la vida entera, buscando siempre lo más fácil o al alcance de la mano. Como aquella revista, por ejemplo.

Para su sorpresa, sin embargo, la primera línea del texto la sacó de su pasividad natural (los calmantes aún no se habían disuelto en el estómago, pero Veronika ya era pasiva por naturaleza) e hizo que, por primera vez en la vida, considerase verdadera una frase que estaba muy de moda entre sus amigos: «Nada en este mundo acontece por casualidad».

¿Por qué aquella primera línea, justamente en un momento en que había comenzado a morir? ¿Cuál era el mensaje oculto que tenía ante los ojos, si es que existen mensajes ocultos en vez de coincidencias?

Debajo de la ilustración de ese juego de computadora, el periodista comenzaba su escrito preguntando:

«¿Dónde está Eslovenia?»

«Nadie sabe dónde está Eslovenia —pensó—. ¡Ni falta que hacía!»

Pero con todo y eso, Eslovenia existía: estaba allá afuera, allá dentro, en las montañas que la rodean y en la plaza, delante de sus ojos: Eslovenia era su país.

Dejó la revista a un lado; no le interesaba ahora indignarse con un mundo que ignoraba por completo la existencia de los eslovenos; la honra de su nación no le merecía ya respeto. Era hora de tener orgullo de sí misma, de saber de qué era capaz: al fin había tenido coraje. Estaba dejando la vida: ¡qué alegría! Y lo estaba haciendo de la manera que siempre lo había soñado: mediante pastillas, que no dejan marcas.

Veronika venía buscando las pastillas desde hacía seis meses. Pensando que nunca las iba a conseguir, llegó a considerar la posibilidad de cortarse las venas. Aun sabiendo que terminaría llenando la habitación de sangre y dejando a las monjas confusas y preocupadas, un suicidio exige que las personas piensen primero en sí mismas y luego en los demás. Estaba dispuesta a hacer todo lo posible para que su muerte no causase mucho trastorno, pero si cortarse las venas era la única posibilidad, entonces ni modo; y que las monjas limpiaran el cuarto y se olvidaran luego de la historia, pues de lo contrario tendrían dificultades en rentarlo de nuevo. A fin de cuentas, incluso a finales del siglo XX la gente seguía creyendo en fantasmas.

Es claro que también podía arrojarse de alguno de los pocos edificios altos de Ljubljana, pero ¿y el sufrimiento extra que tal actitud causaría, al cabo, a sus padres? Además del disgusto de enterarse de que su hija había muerto, encima estarían obligados

a identificar un cuerpo desfigurado: no, ésta era una solución peor que desangrarse hasta morir, pues dejaría marcas indelebles en dos personas que sólo querían su bien.

«Terminarían acostumbrándose a que su hija había muerto: pero un cráneo aplastado ha de ser imposible de olvidar.»

Disparos, caídas de un edificio, ahorcamiento, nada de esto cuadraba con su naturaleza femenina. Las mujeres, cuando se matan, escogen medios mucho más románticos, como cortarse las venas o tomar una dosis excesiva de comprimidos para dormir. Las princesas abandonadas y las actrices de Hollywood han dado varios ejemplos a este respecto.

Veronika sabía que la vida era una cuestión de esperar siempre la hora justa para actuar. Y así fue: dos amigos suyos, sensibilizados por sus quejas de que no lograba dormir, consiguieron —cada uno— dos cajas de una droga poderosa que utilizaban los músicos de un cabaret local. Veronika dejó las cuatro cajas sobre la mesita de noche durante una semana, enamorando a la muerte que se aproximaba y despidiéndose, sin sentimentalismo alguno, de aquello que llamaban Vida.

Ahora estaba allí, contenta de haber ido hasta el final y fastidiada porque no sabía qué hacer con el poco tiempo que le restaba.

Volvió a pensar en el absurdo que acababa de leer: ¿cómo es que un artículo sobre computación puede comenzar con una frase tan idiota: «¿Dónde está Eslovenia?».

Como no encontró nada más interesante en que ocuparse, resolvió leer el artículo hasta el final... y descubrió que el tal

juego había sido producido en Eslovenia —ese extraño país que nadie parecía saber dónde se encontraba, salvo quienes allí vivían—, debido a que la mano de obra era más barata. Algunos meses antes, al lanzar el producto, la fábrica francesa dio una fiesta para periodistas de todo el mundo en un castillo de Bled.

Veronika recordó haber escuchado algo respecto de la fiesta, que fue un acontecimiento especial en la ciudad, no sólo por el hecho de que el castillo fue redecorado para aproximarse al máximo del ambiente medieval del tal CD-ROM, sino también por la polémica que siguió en la prensa local: había periodistas alemanes, franceses, ingleses, italianos, españoles, pero ningún esloveno había sido invitado.

El articulista de *Homme*, que era la primera vez que visitaba Eslovenia, desde luego con todo pagado, resuelto a pasar el tiempo cumplimentando a otros periodistas, diciendo cosas supuestamente interesantes, comiendo y bebiendo de oquis en el castillo, había optado por entrar en materia con una ocurrencia que debía agradar mucho a los sofisticados intelectuales de su país. Incluso contaría a sus amigos de la redacción algunas historias no verídicas de las costumbres locales o del modo rudimentario como se visten las mujeres eslovenas.

Allá él. Veronika estaba muriendo y sus preocupaciones tenían que ser otras, como saber si existe vida después de la muerte o cuándo sería encontrado su cuerpo. De todas formas, o tal vez justamente por eso, por la importante decisión que había tomado, aquel artículo la estaba incomodando.

Miró por la ventana del convento que daba a la pequeña plaza principal de Ljubljana. «Si no saben dónde está Eslovenia, Ljubljana tiene que ser un mito», pensó. Como la Atlántida o Lemuria, o los continentes perdidos que pueblan la imaginación de los hombres. Nadie comenzaría un artículo, en ningún lugar del mundo, preguntando dónde estaba el monte Everest, aunque no hubiera estado allí. Pero mientras, en plena Europa, un periodista de una revista importante no se avergonzaba de hacer una pregunta así, porque sabía que la mayor parte de sus lectores desconocía dónde estaba Eslovenia y más aún Ljubljana, su capital.

Fue entonces cuando Veronika descubrió una manera de pasar el tiempo (ya que habían transcurrido diez minutos y aún no notaba diferencia en su organismo). El último acto de su vida sería una carta para aquella revista, explicando que Eslovenia era una de las cinco repúblicas resultantes de la división de la antigua Yugoslavia.

Dejaría la carta con la nota de su suicidio. Por lo demás, no daría ninguna explicación acerca de los verdaderos motivos de su muerte.

Cuando hallaran su cuerpo concluirían que se había matado porque una revista no sabía dónde estaba su país. Rió con la idea de la polémica que se desataría en los periódicos, con gente a favor y en contra de su suicidio en honor de la causa nacional. Y quedó impresionada con la rapidez con que había cambiado de idea, ya que momentos antes pensaba exactamente lo opuesto (cuando el mundo y los problemas geográficos no le merecían respeto).

Escribió la carta. Aquel momento de buen humor hizo que le vinieran otros pensamientos acerca de la necesidad de morir, pero ya había tomado las pastillas: ya era tarde para regresar.

Como quiera, ya había tenido momentos de buen humor como aquél y no se estaba matando porque fuera una mujer triste, amargada, viviendo en constante depresión. Había pasado muchas tardes de su vida caminando, alegre, por las calles de Ljubljana o mirando desde la ventana de su cuarto del convento cómo caía la nieve en la pequeña plaza con la estatua del poeta. Cierta vez se pasó casi un mes flotando entre nubes porque un hombre desconocido, en el centro de aquella misma plaza, le había dado una flor.

Pensaba que era una persona por completo normal. Su decisión de morir se debía a dos razones muy sencillas y tenía la certeza de que si dejaba un papel explicativo mucha gente concordaría con ella.

La primera razón: todo en su vida era igual y, una vez pasada la juventud, todo era decadencia: la vejez comenzaba a dejar marcas irreversibles, llegaban las dolencias y los amigos se iban. En fin, continuar viviendo no conducía a nada; al contrario, las posibilidades de sufrimiento aumentaban mucho.

La segunda razón era más filosófica: Veronika leía los periódicos, veía la televisión y estaba al corriente de lo que pasaba en el mundo. Todo estaba al revés y ella no tenía modo alguno de remediar aquella situación, lo que le daba una sensación de inutilidad total.

De allí a poco, por lo demás, tendría la última experiencia de su vida y ésta prometía ser muy diferente: la muerte. Escribió la dicha carta para la revista, hizo a un lado el asunto, y se concentró en cosas más importantes y más propias para lo que estaba viviendo —o muriendo— en aquel instante.

Trató de imaginar cómo sería morir, mas no consiguió llegar a ningún resultado.

De cualquier modo, no tenía que apurarse por eso: lo sabría en pocos minutos.

¿Cuántos minutos?

No tenía idea. Pero estaba encantada con el hecho de que ya conocía la respuesta a lo que todos se preguntaban: ¿existe Dios?

Al contrario de mucha gente, ésta no fue la gran discusión interior de su vida. En el antiguo régimen comunista, la educación oficial decía que la vida concluía con la muerte y ella terminó por avenirse a esa idea. Por otro lado, la generación de sus padres y de sus abuelos aún frecuentaba la iglesia, rezaba oraciones y realizaba peregrinaciones y tenía la más absoluta convicción de que Dios les prestaba atención.

A los 24 años, después de haber vivido todo lo que le había sido permitido vivir —¡y mira que no fue poca cosa!—, Veronika tenía casi certeza de que todo concluía con la muerte. Por eso había escogido el suicidio: libertad en fin. Olvido para siempre.

En el fondo de su corazón, con todo, quedaba la duda: ¿y si Dios existe? Millares de años de civilización habían hecho del suicidio un tabú, una afrenta a todos los códigos religiosos: el hombre lucha para sobrevivir y no para rendirse. La raza humana tiene que procrear. La sociedad precisa de mano de obra. Un

matrimonio necesita una razón para continuar juntos, incluso luego que ha dejado de existir el amor, y un país necesita de soldados, políticos y artistas.

«Si Dios existe, lo que yo sinceramente no creo, entenderá que hay un límite para la comprensión humana. Fue Él quien creó esta confusión, donde hay miseria, injusticia, codicia, soledad. Su intención ha tenido que ser óptima, pero los resultados son nulos. Si Dios existe, será generoso con las criaturas que deseen irse aún más pronto de esta tierra y hasta incluso quizá se disculpe por habernos obligado a pasar por aquí.»

¡Al diablo los tabúes y las supersticiones! Su religiosa madre decía: «Dios sabe el pasado, el presente y el futuro». En tal caso, la había colocado en este mundo ya con plena conciencia de que terminaría matándose y no se enojaría por ese acto.

Veronika comenzó a sentir una leve náusea, que rápidamente fue creciendo.

En pocos minutos ya no podía concentrarse en la plaza del otro lado de la ventana. Sabía que era invierno, eran como las cuatro de la tarde y el sol se estaba poniendo rápido. Sabía que las demás personas continuarían viviendo. En aquel momento, un chico pasaba por delante de su ventana y miró, sin ni por asomo tener la menor idea de que ella estaba a punto de morir. Un grupo de músicos bolivianos (¿dónde está Bolivia? ¿Por qué los artículos de las revistas no lo preguntan?) tocaba delante de la estatua de France Prešeren, el gran poeta esloveno que marcó profundamente el alma de su pueblo.

¿Conseguiría escuchar hasta el fin la música que venía de la plaza? Sería un buen recuerdo de esta vida: el atardecer, la melodía que contaba los sueños de otro lado del mundo, el cuarto caliente y cómodo, el chico guapo y lleno de vida que pasaba, se detuvo y ahora la miraba. Percibía que el fármaco ya estaba haciendo efecto: era la última persona que estaba viendo.

Él sonrió y ella le devolvió la sonrisa: no tenía nada que perder. Él saludó y ella fingió que estaba mirando otra cosa; al cabo, el muchacho quería ir demasiado lejos. Desconcertado, continuó su camino, olvidando para siempre aquel rostro de la ventana.

Pero Veronika se puso contenta, una vez más, de haber sido deseada. No era por carencia de amor que se estaba matando. No era por falta de cariño de su familia, ni por problemas financieros ni por algún mal incurable.

Veronika decidió morir aquella tarde bonita de Ljubljana, con músicos bolivianos que tocaban en la plaza, con un joven que pasaba por su ventana, y estaba contenta con lo que sus ojos veían y sus oídos escuchaban. Pero estaba contenta de no tener que seguir viendo aquellas mismas cosas durante más de treinta, cuarenta o cincuenta años, pues perderían toda su originalidad y se transformarían en la tragedia de una vida donde todo se repite y el día anterior es siempre igual al siguiente.

El estómago ahora comenzaba a revolvérsele y ella se sentía muy mal. «¡Vaya gracia y yo que pensé que una dosis excesiva de calmantes me haría dormir inmediatamente!» Pero lo que estaba

sucediendo era un extraño zumbido de oídos y una sensación de vómito.

«Si vomito, no me muero.»

Decidió olvidarse de los cólicos, procurando concentrarse en la noche que caía con rapidez, en los bolivianos, en las personas que comenzaban a cerrar sus tiendas y salían. El retumbo de sus oídos tornábase cada vez más agudo y por primera vez desde que tomó los comprimidos sintió miedo, un miedo terrible a lo desconocido.

Pero fue rápido. Inmediatamente perdió la conciencia.

Cuando abrió los ojos no pensó: «Esto debe ser el cielo». El cielo nunca utilizaría un tubo fluorescente para iluminar el ambiente y el dolor, que apareció una fracción de segundo después, era típico de la Tierra. ¡Ah, este dolor de la Tierra! Era único, no se puede confundir con nada.

Quiso moverse y el dolor aumentó. Apareció una serie de puntos luminosos y asimismo Veronika continuó entendiendo que aquellos puntos no eran estrellas del Paraíso, sino consecuencias de su intenso sufrimiento.

—Ya ha recuperado la conciencia —escuchó una voz de mujer—. Ahora usted tiene los dos pies en el infierno. ¡Que lo disfrute!

No, no podía ser; aquella voz la estaba engañando. No era el infierno… porque sentía mucho frío y notaba que unos tubos de plástico le salían de boca y nariz. Uno de esos tubos, el que se le metía garganta abajo, le daba una sensación de sofoco.

Quiso moverse para retirárselo, pero tenía los brazos amarrados.

—Estoy bromeando. No es el infierno —continuó la voz—. Es peor que el infierno, donde desde luego nunca he estado. Es Villete.

A pesar del dolor y de la sensación de asfixia, Veronika, en una fracción de segundo, entendió lo que había sucedido. Había intentado el suicidio y alguien había llegado a tiempo para salvarla. Podía haber sido una monja, alguna amiga que hubiera ido a visitarla sin previo aviso, alguien que se acordó que tenía que entregar algo que ella había olvidado haber pedido. El hecho es que había sobrevivido y estaba en Villete.

Villete, el famoso y temido manicomio, que existía desde 1991, año de la independencia del país. En aquella época, creyendo que la división de la antigua Yugoslavia se daría a través de medios pacíficos (al cabo, Eslovenia sólo tuvo once días de guerra), un grupo de empresarios europeos consiguió la licencia para instalar un hospital de enfermedades mentales en un antiguo cuartel, abandonado por los altos costos de mantenimiento.

Al poco tiempo, empero, las guerras comenzaron: primero, Croacia; luego, Bosnia. Los empresarios se preocuparon: el dinero de la inversión provenía de capitalistas repartidos por diversas partes del mundo, cuyos nombres ni siquiera sabían; de modo que era imposible sentarse delante de ellos, ofrecerles disculpas y pedir que tuvieran paciencia. Resolvieron el problema adoptando prácticas nada recomendables para un asilo u hospital psiquiátrico y Villete pasó a simbolizar, para la joven nación que acababa de salir de un comunismo tolerante, lo que de peor había en el capitalismo: bastaba pagar para conseguirse una vacante.

Muchas personas, cuando querían librarse de algún miembro de la familia por líos de herencia (o conducta inconveniente),

gastaban una fortuna y conseguían un certificado médico que permitía que los hijos o padres-problema fueran internados. Otros, huyendo de deudas o para justificar ciertas acciones que podrían acarrearles largos años de prisión, pasaban algún tiempo en dicho asilo y salían libres de toda cobranza o proceso judicial.

Villete, el lugar de donde nadie nunca había huido. El lugar donde andaban mezclados los verdaderos locos —enviados por la justicia o desde otros hospitales— con quienes eran acusados de locura o fingían demencia. El resultado era una verdadera confusión, y la prensa, a troche y moche, publicaba historias de malos tratos y abusos, aunque nunca se concedía permiso para entrar y ver lo que estaba aconteciendo. El gobierno investigaba las denuncias, no conseguía pruebas, los accionistas amenazaban con divulgar lo difícil que era hacer inversiones allí y la institución conseguía mantenerse en pie, cada vez más fuerte.

—Mi tía se suicidó hace algunos meses —continuó la voz femenina—. Pasó casi ocho años sin deseos de salir del cuarto, comiendo, engordando, fumando, tomando calmantes y durmiendo la mayor parte del tiempo. Tenía dos hijas y un marido que la amaba.

Veronika trató de voltear la cabeza en dirección a la voz, pero le fue imposible.

—Sólo la vi reaccionar una única vez: cuando su marido se buscó una amante. Hizo escándalos, perdió algunos kilos, rom-

pió vasos y durante semanas enteras no dejaba dormir al vecindario a puro grito. Por más absurdo que parezca, creo que fue su época más feliz: estaba luchando contra algo, se sentía viva y capaz de reaccionar ante el desafío que se le había plantado delante.

«¿Qué tengo yo que ver con eso?», pensaba Veronika, incapaz de decir nada. «¡No soy ni su tía ni tengo marido!»

—El marido terminó despachando a su amante —prosiguió la mujer—. Mi tía poco a poco regresó a su pasividad habitual. Un día me telefoneó diciendo que estaba dispuesta a mudar de vida: iba a dejar de fumar. Esa misma semana, luego de aumentar el número de calmantes por causa de la abstinencia del cigarro, avisó a todos que estaba resuelta a matarse.

»Nadie le creyó. Cierta mañana me dejó un recado en el contestador telefónico, despidiéndose, y se mató con el gas. Recibí su mensaje varias veces: nunca escuché su voz tan tranquila, conforme con el propio destino. Decía que no era ni feliz ni infeliz y por eso no aguantaba más.

Veronika sintió compasión por la mujer que contaba la historia y que parecía intentar comprender la muerte de la tía. ¿Cómo juzgar, en un mundo donde se procura sobrevivir a toda costa, a las personas que desean morir?

Nadie puede juzgar. Cada uno sabe la dimensión del propio sufrimiento o la ausencia total de sentido de su vida. Veronika quería explicar esto, pero el tubo que tenía en la boca la atragantaba, y la mujer vino en su ayuda.

La vio inclinada sobre su cuerpo amarrado, entubado, protegido contra su voluntad y su libre arbitrio de destruirlo. Meneó

la cabeza de un lado para otro, implorando con los ojos que le sacaran aquel tubo y la dejasen morir en paz.

—Usted está nerviosa —le dijo la mujer—. No sé si está arrepentida o si aún quiere morir, pero esto no me interesa. Lo que me interesa es cumplir con mi función: si el paciente se muestra agitado, el reglamento exige que le aplique un sedante.

Veronika dejó de debatirse, pero la enfermera ya estaba aplicándole una inyección en el brazo. En poco tiempo estaba de regreso en un mundo extraño, sin sueños, donde la única cosa que recordaba era el rostro de la mujer que acababa de ver: ojos verdes, cabello castaño y un aire totalmente distante... de quien hace las cosas porque las tiene que hacer, sin jamás preguntar por qué el reglamento manda esto o aquello.

Paulo Coelho supo la historia de Veronika tres meses después, mientras comía en un restaurante argelino en París con una amiga eslovena, que también se llamaba Veronika y era hija del médico responsable de Villete.

Más tarde, cuando decidió escribir un libro sobre el asunto, pensó en cambiar el nombre de Veronika (su amiga) para no confundir al lector. Pensó llamarla Blaska o Edwina o Marietzja o cualquier otro nombre esloveno, pero terminó resolviendo que mantendría los nombres reales: cuando se refiriera a la amiga la llamaría «Veronika, la amiga». En cuanto a la otra Veronika no era preciso ningún epíteto, porque sería el personaje central del libro y las personas se fastidiarían de estar leyendo continuamente «Veronika, la loca» o «Veronika, la que intentó suicidarse». Como sea, tanto él como Veronika, la amiga, entrarían en la historia sólo durante un breve lapso: este capítulo.

Veronika, la amiga, estaba horrorizada de lo que su padre había hecho, en especial tomando en consideración que era el director de una institución que quería ser respetada y trabajaba en una tesis previa a un examen para formar parte de una comunidad académica convencional.

—¿Usted sabe de dónde viene la palabra «asilo»? —preguntaba ella—. Viene de la Edad Media, del derecho de las personas a buscar refugio en las iglesias, lugares sagrados. ¡Derecho de asilo, algo que cualquier persona civilizada entiende! Ahora bien, ¿cómo es que mi padre, director de un *asilo*,* puede actuar de esta manera con alguien?

Paulo Coelho quiso saber en detalle todo lo que había sucedido, porque tenía un excelente motivo para interesarse por la historia de Veronika.

Y el motivo era el siguiente: él había sido internado en un *asilo* (u *hospício*, como era más conocido este tipo de hospital). Y esto le ocurrió no sólo una vez, sino tres, en los años 1965, 1966 y 1967. El lugar donde fue internado era la Casa de Salud Dr. Eiras, en Río de Janeiro.

La razón de su hospitalización le era, hasta hoy, extraña a él mismo; quizá sus padres estaban desorientados con su comportamiento diferente, entre tímido y extravertido, o tal vez fue su deseo de ser «artista», algo que todos en la familia consideraban como la mejor manera de vivir marginado y morir en la miseria.

Cuando pensaba en el hecho —y dígase de paso que rara vez pensaba en esto—, él atribuía la verdadera locura al médico que aceptó colocarlo en un *hospício*, sin motivo alguno concreto (como ocurre en cualquier familia, la tendencia siempre es echar

* *Asilo (de loucos)*, asilo para locos u *hospício*, además de *manicômio*, son nombres usuales para «hospital psiquiátrico» en portugués. *(N. del T.)*

la culpa a los demás y afirmar a pie juntillas que los padres no sabían lo que hacían al tomar decisión tan drástica).

Paulo rió al enterarse de la extraña carta a los periódicos que Veronika había dejado, alegando que una importante revista francesa ni siquiera sabía dónde estaba Eslovenia.

—Nadie se mata por eso.

—Por esa razón, la carta no dio ningún resultado —tuvo que admitir, mal de su grado, Veronika, la amiga—. Ayer mismo, al registrarme en el hotel, pensaban que Eslovenia era una ciudad de Alemania.

Era el pan nuestro de cada día, pensó él, ya que muchos extranjeros creen que la ciudad argentina de Buenos Aires es la capital de Brasil.

Pero además del hecho de vivir en un país donde los extranjeros, alegremente, lo felicitaban por la belleza de la capital (que estaba en el país vecino), Paulo tenía en común con Veronika el hecho ya mencionado, pero que es siempre bueno recordar, de haber estado también internado en un sanatorio para enfermos mentales, «de donde nunca debería haber salido», como comentó cierta vez su primera mujer.

Pero salió. Y al dejar la Casa de Salud Dr. Eiras por última vez, decidido a no regresar nunca más, hizo dos promesas: *a)* juró que escribiría sobre el tema; *b)* juró aguardar a que sus padres murieran para tocar públicamente el asunto, porque no quería herirlos, ya que ambos habían pasado muchos años de sus vidas culpándose por lo que habían hecho.

Su madre murió en 1993, pero su padre, que en 1997 cumplió 84 años, a pesar de tener enfisema pulmonar (no obstante que nunca había fumado), a pesar de alimentarse de comida congelada porque no había sirvienta que soportara sus manías, continuaba vivo, en pleno goce de sus facultades mentales y de la salud.

De modo que al escuchar la historia de Veronika, captó la oportunidad de hablar sobre el tema, sin incumplir su promesa. Aunque nunca había pensado en el suicidio, conocía de cerca el universo del manicomio: los tratamientos, las relaciones entre médicos y pacientes, la comodidad y angustia de estar en un lugar así.

Mientras, dejemos que Paulo Coelho y Veronika, la amiga, salgan definitivamente de este libro y continuemos la historia.

Veronika no sabe cuánto tiempo ha pasado dormida. Se acuerda de haber despertado en algún momento —todavía con los aparatos de supervivencia en boca y nariz— en que una voz decía:

—¿Quiere usted que yo la masturbe?

Pero ahora, con los ojos bien abiertos y mirando todo en rededor del cuarto, no sabía si aquello había sido real o una alucinación. Salvo ese recuerdo, no conseguía rememorar nada, absolutamente nada.

Los tubos le habían sido retirados. Pero continuaba con agujas metidas por todo el cuerpo y cables conectados por la región del corazón y de la cabeza, y los brazos amarrados. Estaba desnuda, sólo cubierta por una sábana y sentía frío, pero prefirió no decir nada. El reducido ambiente, rodeado de cortinas verdes, estaba ocupado por los aparatos de la Unidad de Tratamiento Intensivo, la cama donde estaba acostada y una silla blanca, donde estaba sentada una enfermera, entretenida leyendo un libro.

La mujer, esta vez, tenía los ojos oscuros y los cabellos castaños. Aun así, Veronika dudó si se trataba de la misma persona con la que había conversado horas —¿días?— antes.

—¿Puede desatarme los brazos?

La enfermera levantó los ojos, respondió con un seco «no» y volvió al libro.

Estoy viva, pensó Veronika. Va a comenzar todo de nuevo. Debo pasar algún tiempo aquí adentro, hasta que constaten que soy perfectamente normal. Después me darán de alta y veré de nuevo las calles de Ljubljana, su plaza redonda, los puentes, las personas que pasan yendo y viniendo del trabajo.

Como las personas siempre tienden afortunadamente a ayudar a los demás —aunque sólo sea para sentir que son mejores de lo que realmente son—, me volverán a dar mi trabajo en la biblioteca. Con el tiempo volveré a frecuentar los mismos bares y cabarets, conversaré con mis amigos sobre las injusticias y problemas del mundo, iré al cine, pasearé por el lago.

Como opté por las pastillas, no estoy deforme: continúo joven, bonita, inteligente y no tendré, como nunca tuve, dificultad para conseguir enamorados. Haré el amor con ellos en sus casas o en el bosque, tendré cierto placer, pero luego, después del orgasmo, volverá la sensación de vacío. No tendremos mucho de qué conversar y tanto él como yo sabremos lo que sigue, el momento de darse excusas mutuas: «es tarde» o «mañana tengo que levantarme temprano», y partiremos lo más rápido que se pueda, evitando mirarnos a los ojos.

Regreso a mi cuarto alquilado del convento. Trato de leer un libro, prendo la tele para ver los mismos programas de siempre, pongo el despertador para despertarme exactamente a la misma hora que desperté el día anterior, repito mecánicamente las tareas que me confían en la biblioteca. Como el sándwich en el jardín

de delante del teatro, sentada en el mismo banco, junto con otras personas que también escogen los mismos bancos para almorzar, que tienen la misma mirada vacía, pero fingen estar preocupadas por cosas importantísimas.

Después regreso al trabajo, escucho algunos comentarios sobre quién sale con quién, quién está sufriendo qué, cómo tal persona lloró por causa del marido y me quedo con la sensación de que soy privilegiada, soy bonita, tengo un trabajo, consigo el enamorado que quiero. Regreso a los bares al final del día y la cosa vuelve a recomenzar.

Mi madre, que ha de estar preocupadísima por mi intento de suicidio, se repondrá del susto y me preguntará qué voy a hacer de mi vida, por qué no soy igual que las demás personas, ya que, a fin de cuentas, las cosas no son tan complicadas como pienso que son. «Mírame a mí, por ejemplo, que estoy casada desde hace años con tu padre y he tratado de darte la mejor educación y los mejores ejemplos posibles.»

Cualquier día me canso de escucharla repetir siempre la misma conversación y para agradarla me caso con un hombre a quien me obligo a amar. Él y yo terminamos por encontrar una manera de soñar juntos en nuestro futuro, la casa de campo, los hijos, el futuro de nuestros hijos. Haremos mucho el amor el primer año, menos en el segundo, y a partir del tercero la gente quizá piense en el sexo una vez cada quince días y transforme ese pensamiento en acción sólo una vez por mes. Peor que eso: la gente casi ni ha de conversar. Yo me forzaré a aceptar la situación y me pregun-

taré qué he hecho mal, ya que no consigo interesarlo, no me presta atención y vive hablando de sus amigos como si fuesen realmente su mundo.

Cuando el matrimonio se sostenga sólo por un hilo, me embarazaré. Tendremos un hijo, pasaremos algún tiempo más cerca el uno del otro y luego la situación volverá a ser la de antes.

Mientras comenzaré a engordar como la tía de la enfermera de ayer (o de días atrás, no sé bien). Y comenzaré a someterme a algún régimen, sistemáticamente derrotada cada día, cada semana, por el peso que insiste en aumentar, no obstante todo el control. A esas alturas tomaré las drogas mágicas para no caer en depresión... y tendré algunos hijos, en noches de amor que pasarán aprisa a más no poder. Diré a todo el mundo que los hijos son la razón de mi vida, pero en realidad ellos exigen mi vida como razón.

La gente pensará siempre que somos una pareja feliz y nadie sabrá lo que existe de soledad, de amargura, de renuncia, detrás de toda apariencia de felicidad.

Hasta que un día, cuando mi marido se busque su primera amante, yo tal vez haga un escándalo como la tía de la enfermera o piense de nuevo en suicidarme. Pero para entonces ya estaré vieja y seré cobarde, con dos o tres hijos que necesitan mi ayuda y debo educarlos y colocarlos en el mundo, antes de ser capaz de abandonarlo todo. Yo no me suicidaré: haré un escándalo, amenazaré largarme con los niños. Él, como todo hombre, retrocederá, dirá que me ama y que aquello no se va a repetir nunca más. Nunca le pasará por la cabeza que si de todas formas me resolviera a irme, la única opción sería regresar a casa de mis

padres, quedarme allí el resto de mi vida teniendo que escuchar todo el día a mi madre lamentarse de que haya perdido una oportunidad única de ser feliz, que él era un óptimo marido a pesar de sus pequeños defectos, que mis hijos van a sufrir mucho con la separación.

Dos o tres años después, otra mujer aparecerá en su vida. Lo descubriré —porque vi, porque alguien me contó—, pero esta vez finjo que nada sé. Gasté toda mi energía luchando contra la amante anterior y no sobró nada; es mejor aceptar la vida como es en realidad y no como yo imaginaba que era. Mi madre tenía razón.

Él continuará siendo gentil conmigo, yo continuaré con mi trabajo en la biblioteca, con mis sándwiches en la plaza del teatro, con mis libros que nunca consigo terminar de leer, los programas de televisión que continuarán siendo los mismos de aquí a diez, veinte, cincuenta años.

Sólo que comeré los sándwiches con culpa, porque estoy engordando; y ya no iré a bares, porque tengo un marido que me espera en casa para cuidar de los hijos.

De ahí en adelante, a esperar que los niños crezcan y pasar todo el día pensando en el suicidio, sin valor para cometerlo. Un buen día llego a la conclusión de que la vida es así, que no progresa, que nada cambiará. Y me conformo.

Veronika se encerró en el monólogo interior y se hizo una promesa: no saldría de Villete con vida. Era mejor acabar con todo ahora, cuando aún tenía coraje y salud para morir.

Se durmió, despertándose varias veces. Notó que el número de aparatos en torno suyo disminuía, el calor de su cuerpo aumentaba y las caras de las enfermeras eran nuevas, pero siempre había alguien a su lado. Las cortinas verdes dejaban pasar el llanto de alguien, gemidos de dolor o voces que susurraban cosas en tono calmado y técnico. De vez en cuando, un aparato distante zumbaba y ella escuchaba pasos presurosos por el corredor. En esos momentos, las voces perdían el tono técnico y calmo y pasaban a ser tensas, con órdenes rápidas.

En uno de sus momentos de lucidez, una enfermera le preguntó:

—¿No quiere usted saber su estado?

—Sé cuál es —respondió Veronika—. Y no es lo que usted está viendo en mi cuerpo; es lo que está ocurriendo en mi alma.

La enfermera trató todavía de conversar un poco, pero Veronika fingió que dormía.

Por primera vez, al abrir los ojos, se dio cuenta de que estaba en otro lugar; estaba en lo que parecía una gran enfermería. La aguja de una botella de suero aún continuaba en su brazo, pero los demás cables y agujas habían sido retirados.

Un médico alto, con la tradicional ropa blanca que contrastaba con los cabellos y bigote teñidos de negro, se encontraba parado frente a su cama. A su lado, un joven pasante aseguraba una tablilla y tomaba notas.

—¿Cuánto tiempo llevo aquí? —preguntó, notando que hablaba con alguna dificultad, sin conseguir que las palabras salieran claramente.

—Dos semanas en esta habitación, después de cinco días en la unidad de urgencias —respondió el mayor—. Y dé gracias a Dios de aún encontrarse aquí.

El más joven pareció sorprendido, como si esta última frase no coincidiera exactamente con la realidad. Veronika notó de inmediato esa reacción y sus instintos se aguzaron: ¿llevaba más tiempo?, ¿estaba aún en riesgo? Comenzó a prestar atención a cada gesto, a cada movimiento de ambos. Sabía que era inútil hacer preguntas: ellos jamás dirían la verdad. Pero si era astuta, podría entender lo que estaba ocurriendo.

—Dígame su nombre, dirección, estado civil y fecha de nacimiento —continuó el mayor.

Veronika sabía su nombre, su estado civil y su fecha de nacimiento, pero advirtió que había espacios en blanco en su memoria: no conseguía recordar claramente la dirección.

El médico le enfocó los ojos con una linterna y los examinó largamente, en silencio. El más joven hizo lo mismo. Los dos intercambiaron miradas que no significaban absolutamente nada.

—¿Usted le dijo a la enfermera de la noche que no sabíamos ver su alma? —preguntó el más joven.

Veronika no lo recordaba. Tenía dificultad en saber, bien a bien, quién era, qué estaba haciendo allí.

—Usted ha sido inducida repetidamente al sueño mediante calmantes y esto puede afectarle un poco la memoria. Por favor, trate de responder a todo lo que le preguntemos.

Y los médicos comenzaron un cuestionario absurdo, queriendo saber cuáles eran los periódicos importantes de Ljubljana, cuál era el poeta cuya estatua está en la plaza principal (¡ah, aquello ella no lo olvidaría nunca: todo esloveno lleva la imagen de Prešeren grabada en el alma!), cuál era el color del cabello de su madre, el nombre de los compañeros de trabajo, los libros más solicitados en la biblioteca.

En un principio, Veronika se hizo el propósito de no responder: su memoria continuaba confusa. Pero a medida que el cuestionario avanzaba, iba reconstruyendo lo que había olvidado. En dado momento se acordó de que ahora estaba en un manicomio y los locos no tienen ninguna obligación de ser coherentes; pero por su propio bien y para mantener cerca a los médicos a fin de

ver si conseguía descubrir algo más sobre su estado, comenzó a hacer un esfuerzo mental. A medida que citaba nombres y hechos, no sólo recuperaba la memoria, sino también su personalidad, sus deseos, su modo de ver la vida. La idea del suicidio, que aquella mañana parecía enterrada debajo de varias capas de sedantes, volvía a aflorar a la superficie.

—Está bien —dijo el mayor, al final del cuestionario.

—¿Cuánto tiempo tendré que estar todavía aquí?

El más joven bajó los ojos y ella sintió que todo estaba suspendido en el aire, como si a partir de la respuesta a aquella pregunta se fuera a escribir una nueva historia de su vida que nadie podría modificar jamás.

—Puede decirlo —comentó el mayor—. Los demás pacientes ya han escuchado los rumores y ella va a terminar sabiendo de cualquier modo. Es imposible guardar secretos en este lugar.

—Bien, ha sido usted quien ha determinado su propio destino —suspiró el joven, midiendo cada palabra—. Por ahora, éstas son las consecuencias de su acto: durante el coma provocado por los narcóticos, su corazón quedó irremediablemente afectado. Sufrió una necrosis en el ventrículo…

—No se alargue —dijo el mayor—. Vaya derecho a lo que interesa.

—Su corazón ha quedado irremediablemente afectado. Y dejará de latir en breve.

—¿Qué significa esto? —preguntó asustada.

—El hecho de que el corazón deje de latir significa sólo una cosa: muerte física. No sé cuáles sean sus creencias religiosas, pero…

—¿En cuánto tiempo mi corazón se detendrá? —interrumpió Veronika.

—Cinco días, una semana a lo más.

Veronika se dio cuenta de que, tras la apariencia y el comportamiento profesional, tras el aire de preocupación, aquel joven estaba sintiendo un inmenso placer en lo que decía. Como si ella mereciese el castigo y sirviera de ejemplo a los demás.

Durante toda su vida, ella se había dado cuenta de que un inmenso grupo de personas que conocía comentaban los horrores de la vida ajena como si sintieran mucha preocupación por ayudar, pero en el fondo se complacían del sufrimiento de los demás, porque esto les hacía creer que eran felices y que la vida había sido generosa con ellos. Detestaba ese tipo de gente: no le daría a aquel muchacho ninguna oportunidad de aprovecharse del estado de ella para ocultar sus propias frustraciones.

Mantuvo los ojos fijos en los de él. Y sonrió.

—Entonces no fallé.

—No —fue la respuesta. Pero su disfrute en dar noticias trágicas había desaparecido.

Durante la noche, sin embargo, comenzó a sentir miedo. Una cosa era la acción rápida de las pastillas y otra quedarse aguardando la muerte cinco días, una semana... después de haber vivido todo lo que era posible.

Se había pasado la vida esperando siempre algo: al padre de regreso del trabajo, la carta del enamorado que no llegaba, los exámenes de final de curso, el tren, el autobús, la llamada por teléfono, el día del comienzo de las vacaciones, el final de éstas. Ahora tenía que esperar la muerte, que venía con fecha marcada.

«Esto sólo podía ocurrirme a mí. Por lo general, las personas mueren exactamente el día que creen que no van a morir.»

Tenía que salir de allí y agenciarse nuevas pastillas. Si no las conseguía y la única solución iba a ser arrojarse desde lo alto de un edificio de Ljubljana, lo haría. Había procurado ahorrar a sus padres un sufrimiento extra, pero ahora no tenía más remedio.

Miró en torno suyo. Todas las camas estaban ocupadas; todos dormían y algunos roncaban fuerte. Las ventanas tenían rejas. Al extremo del dormitorio se veía una lucecita que llenaba el am-

biente de extrañas sombras y que permitía que el lugar estuviera constantemente vigilado. Cerca de la luz, una mujer leía un libro.

«Estas enfermeras han de ser muy cultas. Se la viven leyendo.»

El lecho de Veronika era el más alejado de la puerta (entre ella y la mujer había casi veinte camas). Se levantó con dificultad porque, por lo que había dicho el médico, llevaba ya casi tres semanas sin caminar. La enfermera levantó la vista y vio a la joven, que se aproximaba sosteniendo la botella de suero.

—Quiero ir al baño —susurró, con miedo de despertar a las demás locas.

La mujer, con ademán descuidado, señaló hacia una puerta. La mente de Veronika trabajaba con rapidez, buscando por todas las esquinas una salida, una brecha, un modo de dejar aquel lugar. «Tiene que ser rápido, mientras creen que aún estoy frágil, incapaz de reaccionar.»

Miró con cuidado en torno. El baño era un cubículo sin puerta. Si quería salir de allí, tendría que asir a la vigilante y someterla para conseguir la llave, pero estaba demasiado débil para eso.

—¿Esto es una cárcel? —le preguntó a la vigilante, que había abandonado la lectura y ahora seguía todos los movimientos de Veronika.

—No; es un manicomio.

—Yo no estoy loca.

La mujer rió.

—Es exactamente lo que todos dicen aquí.

—Está bien. Entonces estoy loca. ¿Qué es un loco?

La mujer le dijo que no debía estar mucho tiempo de pie y la volvió a mandar a la cama.

—¿Qué es un loco? —insistió Veronika.

—Pregúnteselo al médico mañana. Y váyase a dormir o, aunque yo no quiera, tendré que aplicarle un calmante.

Veronika obedeció. De regreso escuchó que alguien susurraba desde una de las camas:

—¿Usted no sabe qué es un loco?

Por un instante pensó no responder: no quería hacer amigos, formar círculos sociales, conseguir aliados para una gran sublevación en masa. Sólo tenía una idea fija: muerte. Si era imposible huir, alguna solución encontraría de matarse allí mismo, lo antes posible.

Pero la mujer repitió la misma pregunta que ella había hecho a la vigilante.

—¿Usted no sabe qué es un loco?

—¿Quién es usted?

—Me llamo Zedka. Vaya a su cama. Luego, cuando la vigilante compruebe que usted ya está acostada, arrástrese por el suelo y venga hasta acá.

Veronika se dirigió a su lugar y esperó a que la vigilante se volviera a enfrascar en el libro. ¿Qué era un loco? No tenía la menor idea, porque esta palabra era empleada de una manera por completo anárquica. Decían, por ejemplo, que ciertos deportistas eran unos locos porque deseaban batir récords; o que los artistas eran locos, porque vivían de una manera insegura, improvisada, diferente de todos los «normales». Por otro lado, ya había visto a mucha gente que iba por las calles de Ljubljana,

mal abrigada durante el invierno, predicando el fin del mundo y empujando carritos de supermercado llenos de bolsas y vestidos.

No tenía sueño. Según el médico, había dormido casi una semana, demasiado tiempo para alguien que estaba acostumbrado a una vida sin grandes emociones, pero con horarios rigurosos de descanso. ¿Qué era un loco? Quizá era mejor preguntárselo a alguno de ellos.

Veronika se agachó, se sacó la aguja del brazo y fue hasta donde estaba Zedka, tratando de no dar importancia al estómago, que empezaba a revolvérsele. No sabía si las náuseas eran resultado de su corazón debilitado o del esfuerzo que estaba haciendo.

—No sé qué es un loco —susurró Veronika—, pero yo no lo estoy. Soy una suicida frustrada.

—Loco es quien vive en su mundo. Como los esquizofrénicos, los psicópatas, los maníacos. O sea, personas que son diferentes de las demás.

—¿Como usted?

—Seguramente —continuó Zedka, fingiendo no haber escuchado el comentario— usted ha oído hablar de Einstein, el cual dijo que no había tiempo ni espacio, sino una unión de ambos. O Colón, insistiendo en que al otro lado del mar no había un abismo y sí un continente. O Edmond Hillary, que afirmaba que el hombre podía ascender hasta la cima del Everest. O los Beatles, que hicieron una música diferente y se vestían como personas totalmente fuera de la época. Todas esas personas, y miles más, también vivían en su mundo.

«Esta demente está diciendo cosas que tienen sentido», pensó Veronika, acordándose de historias que su madre contaba de santos que aseguraban hablar con Jesús o la Virgen María. ¿Vivían en un mundo aparte?

—He visto a una mujer con un vestido rojo escotado, los ojos vítreos, andando por las calles de Ljubljana cuando el termómetro marcaba 5° bajo cero. Me di cuenta de que estaba bebida y quise ayudarla, pero ella rehusó mi abrigo.

—Tal vez en su mundo era verano y su cuerpo estaba caliente por el deseo de alguien que la esperaba. Incluso si esta otra persona existiera sólo en su delirio, ella tenía el derecho de vivir y morir como quisiera, ¿no cree?

Veronika no sabía qué decir, pero las palabras de aquella loca tenían sentido. Quién sabe si no era ella la mujer a la que vio semidesnuda por las calles de Ljubljana.

—Le voy a contar una historia —dijo Zedka—. Un poderoso hechicero, queriendo destruir un reino, arrojó una poción mágica al pozo adonde todo el pueblo iba a beber. Quien tomara de aquella agua se volvería loco.

»A la mañana siguiente, la población entera bebió y todos enloquecieron, menos el rey, el cual tenía un pozo sólo para él y su familia y adonde el brujo no había conseguido entrar. Alarmado, el rey trató de controlar a la población imponiendo una serie de medidas de seguridad y de salud pública, pero los policías e inspectores habían bebido del agua envenenada y encontraron absurdos los mandatos del rey y resolvieron no respetarlos de ningún modo.

»Cuando los habitantes de aquel reino se enteraron de los decretos, se convencieron de que el soberano había enloquecido

y escribía cosas sin sentido. A gritos llegaron hasta el castillo y exigieron que abdicara.

»Desesperado, el rey condescendió a dejar el trono, pero la reina se lo impidió, diciéndole: "Ahora vamos hasta la fuente y también beberemos. Así seremos iguales que ellos".

»Y así lo hicieron: rey y reina bebieron del agua de la locura y en seguida comenzaron a decir cosas sin sentido. De inmediato, sus súbditos se retractaron de la decisión que acababan de tomar: si el rey ya estaba mostrando tanta sabiduría, ¿por qué no dejar que continuara gobernando el país?

»El país continuó en calma, aunque sus habitantes se comportaban de modo muy diferente a como lo hacían sus vecinos. Y el rey pudo gobernar hasta el final de sus días.

Veronika se echó a reír:

—Usted no parece loca —dijo.

—Pero lo estoy, aunque me estoy curando, porque mi caso es sencillo: basta reintroducir en mi organismo una determinada sustancia química. Espero, no obstante, que esa sustancia sólo resuelva mi problema de depresión crónica. Quiero continuar loca, viviendo mi vida como la sueño y no como los demás desean. ¿Sabe qué existe allá afuera, del otro lado de las paredes de Villete?

—Gente que bebió del mismo pozo.

—Exactamente —repuso Zedka—. Creen que son normales, porque todos hacen lo mismo. Yo fingiré que también he bebido de esa agua.

—Pues yo bebí y éste es justamente mi problema. Nunca tuve depresiones, ni grandes alegrías ni tristezas que durasen mucho. Mis problemas son iguales a los de todo el mundo.

Zedka se quedó un rato en silencio.

—Usted va a morir, nos han dicho.

Veronika titubeó un instante: ¿podía confiar en aquella extraña? Pero era preciso arriesgarse.

—De aquí a cinco o seis días. Estoy pensando si existe un medio de morir antes. Si usted o alguien de aquí adentro me consiguiera nuevos comprimidos, tengo la certeza de que mi corazón no aguantaría esta vez. Comprenda cuánto sufro por tener que estar esperando la muerte. Ayúdeme.

Antes de que Zedka pudiera responder, la enfermera apareció con una jeringa.

—Se la puedo aplicar yo misma —le espetó—, dependiendo de su voluntad. Si no, puedo pedir a los celadores de allá afuera que me ayuden.

—No gaste su energía en vano —le dijo Zedka a Veronika—. Ahorre fuerzas si quiere conseguir lo que me pide.

Veronika se levantó, se dirigió a su lecho y dejó que la enfermera cumpliera con su tarea.

Fue su primer día normal en el manicomio. Salió de la enfermería, desayunó en el gran refectorio, donde hombres y mujeres comían juntos. Se dio cuenta de que, a diferencia de lo que aparecía en las películas —escándalos, griterío, personas haciendo ademanes demenciales—, todo se antojaba envuelto en un aura de silencio opresivo; parecía que nadie quisiese compartir su mundo interior con extraños.

Luego del desayuno (razonable, no se podía culpar a los alimentos de la pésima fama de Villete), todos salieron para darse un baño de sol. En realidad no se veía el sol por ningún lado: la temperatura era bajo cero y el jardín estaba cubierto de nieve.

—No estoy aquí para conservar mi vida, sino para perderla —dijo Veronika a uno de los enfermeros.

—No importa, es necesario salir al baño de sol.

—Ustedes son los locos: ¡no hace sol!

—Pero hay luz y ayuda a calmar a los internos. Por desgracia nuestro invierno dura mucho; si no fuese así tendríamos menos trabajo.

Era inútil discutir: salió, caminó un poco, mirando todo lo que había en derredor en busca, disimuladamente, de algún modo de huir. La pared era alta, como exigían los constructores de los cuarteles antiguos, pero las garitas de los centinelas estaban desocupadas. El jardín estaba rodeado de edificios de aspecto militar, que hoy albergaban dormitorios masculinos y femeninos, los despachos de la administración y las dependencias de los empleados. Después de una primera y rápida inspección notó que el único lugar realmente vigilado era la puerta principal, donde dos guardias comprobaban las identidades de quienes entraban y salían.

Todo, en su cerebro, parecía que estaba regresando a su lugar. Para hacer un ejercicio de memoria comenzó a tratar de acordarse de pequeñas cosas, como el lugar donde dejaba la llave de su habitación, el disco que acababa de comprar, el pedido más reciente que le hicieron en la biblioteca.

—Soy Zedka —dijo una mujer que se le acercó.

La noche anterior no había podido verle el rostro, porque se mantuvo agachada al lado de la cama todo el rato de conversación. Tendría unos 35 años y parecía absolutamente normal.

—Espero que la inyección no le haya causado mucho problema. Con el tiempo, el organismo se acostumbra y los calmantes pierden el efecto.

—Estoy bien.

—Nuestra conversación de anoche... lo que usted me pidió, ¿se acuerda?

—Perfectamente.

Zedka la tomó del brazo y comenzaron a caminar juntas,

entre los muchos árboles sin hojas del patio. Más allá de las paredes se divisaban las montañas que desaparecían en las nubes.

—Hace frío, pero es una bonita mañana —dijo Zedka—. Es curioso, pero mi depresión nunca aparecía en días como éste, nublados, cenicientos, fríos. Cuando el tiempo estaba así, yo sentía que la naturaleza estaba de acuerdo conmigo, mostraba mi alma. Por otro lado, cuando aparecía el sol, los niños jugaban en la calle y todos estaban contentos por la belleza del día, yo me sentía pésima; como si fuera injusto que se mostrase toda aquella exuberancia, sin que yo pudiera participar.

Con delicadeza, Veronika se desprendió del brazo de la mujer. No le gustaban los contactos físicos.

—Usted interrumpió la frase. Me estaba hablando de mi petición.

—Hay un grupo aquí dentro. Son hombres y mujeres que podrían haber sido dados de alta y estar en sus casas, pero no quieren salir. Sus razones son muchas. Villete no es tan malo como dicen, aunque esté lejos de ser un hotel de cinco estrellas. Aquí dentro todos pueden decir lo que piensan, hacer lo que quieren sin que se les critique; a fin de cuentas están en un manicomio. Ahora bien, a la hora de las inspecciones del gobierno, estos hombres y mujeres se comportan como si sufrieran un grado de demencia peligroso, ya que algunos de ellos están aquí a costa del Estado. Los médicos lo saben, pero parece que hay orden de los dueños de que dejen correr las cosas, pues hay más vacantes que enfermos.

—¿Ellos pueden conseguirme los comprimidos?

—Trate de entrar en contacto con ellos. Llaman a su grupo «La Fraternidad».

Zedka señaló hacia una mujer de cabello blanco que conversaba animadamente con otras mujeres más jóvenes.

—Se llama Mari y es de la Fraternidad. Pregúntele.

Veronika fue hacia donde estaba Mari, pero Zedka la detuvo:

—Ahora no, ella está entretenida. No interrumpirá lo que le da gusto sólo para caerle bien a una extraña. Si reacciona mal, nunca más tendrá ocasión de acercársele. Los *locos* siempre hacen caso a su primera impresión.

Veronika se rió de la entonación que Zedka dio a la palabra *locos*. Pero se inquietó, porque todo aquello parecía normal, demasiado bueno. Después de tantos años de ir del trabajo al bar, del bar a la cama de algún enamorado, de la cama a su cuarto, del cuarto a la casa de su madre, ahora estaba viviendo una experiencia que nunca había soñado: el manicomio, la locura, el hospital psiquiátrico, donde las personas no sentían vergüenza de confesarse locas, donde nadie interrumpía lo que le gustaba sólo para caerles bien a otros.

Empezó a dudar de que Zedka hablara en serio, no fuera una manera que los enfermos mentales adoptan para fingir que viven en un mundo mejor que los demás. Pero, ¿qué importancia podría tener esto? Estaba viviendo algo interesante, diferente, nunca esperado: ¡un lugar donde las personas fingen estar locas, para hacer ni más ni menos lo que se les antoja!

En ese preciso momento, el corazón de Veronika le dio una punzada: a su pensamiento regresó de inmediato la conversación con el médico y se asustó.

—Quiero estar a solas —le dijo a Zedka.

A fin de cuentas era también una loca y no tenía por qué estar agradando a nadie.

La mujer se apartó y Veronika se quedó contemplando las montañas detrás de las paredes de Villete. Una leve voluntad de vivir pareció surgir en su interior, pero Veronika la rechazó con determinación.

«Tengo que conseguir de inmediato las pastillas.»

Reflexionó sobre su situación allí, que estaba lejos de ser la ideal. Aun si le dieran las máximas oportunidades de vivir todas las locuras que se le antojasen, no sabría qué hacer.

Nunca había tenido locuras.

Después de pasar un tiempo en el jardín, fueron al refectorio para la comida. A continuación, los enfermeros condujeron a hombres y mujeres a una gigantesca sala con multitud de cosas: mesas, sillas, sofás, un piano, un televisor y amplios ventanales, desde donde se podía ver el cielo ceniciento y las nubes bajas. Ninguno de los ventanales tenía rejas, porque daban al jardín. Las puertas estaban cerradas por el frío, pero bastaba girar el pomo para salir a caminar de nuevo entre los árboles.

La mayor parte se fue a ver la televisión. Otros miraban al vacío, algunos conversaban en voz baja consigo mismos, pero ¿quién no ha hecho esto en algún momento de su vida? Veronika advirtió que la mujer más anciana, Mari, estaba ahora con un grupo más grande en uno de los rincones de la gran sala. Algunos internos paseaban cerca y Veronika trató de juntárseles: quería escuchar lo que decían.

Procuró disimular lo más que pudo sus intenciones. Pero cuando se acercó, se callaron y, todos a la vez, la miraron.

—¿Qué es lo que usted desea? —le preguntó un señor mayor que parecía ser el líder de la Fraternidad (si es que realmente existía tal grupo y Zedka no estaba más loca de lo que parecía).

—Nada. Sólo pasaba.

Todos se miraron entre sí e hicieron algunos ademanes demenciales con la cabeza. Uno comentó con otro: «¡Ella sólo pasaba!». Otro lo repitió en voz más baja y al poco tiempo todos comenzaron a gritar la misma frase.

Veronika no sabía qué hacer y quedó paralizada de miedo. Un enfermero, fornido y mal encarado, acudió a ver qué estaba ocurriendo.

—Nada —respondió uno del grupo—. Ella sólo pasaba. ¡Está parada allí, pero va a pasar!

El grupo entero rió a carcajada limpia. Veronika adoptó un aire irónico, sonrió, se dio media vuelta y se apartó, para que nadie notara que sus ojos se le henchían de lágrimas. Salió rápido al jardín, sin abrigarse. Un enfermero trató de convencerla de que regresara, pero en seguida apareció otro que le susurró algo, y ambos la dejaron en paz, en el frío. De nada servía cuidarle la salud a una persona condenada.

Estaba confusa, tensa, irritada consigo misma. Jamás se había dejado llevar por provocaciones. Había aprendido muy pronto que era preciso mantener el aspecto frío, distante, siempre que se presentaba una nueva situación. Aquellos locos, empero, habían

conseguido que sintiera vergüenza, miedo, rabia, deseos de matarlos, de herirlos con palabras que no acostumbraba pronunciar.

Tal vez las pastillas —o el tratamiento para sacarla del coma— la habían transformado en una mujer frágil, incapaz de reaccionar por sí misma. En su adolescencia había enfrentado, desde luego, situaciones mucho peores, ¡pero por primera vez no había logrado controlar el llanto! Tenía que volver a ser quien había sido, a reaccionar con ironía, a fingir que las ofensas no la tocaban, porque era superior a todos. ¿Quién, de aquel singular grupo, tenía el coraje de desear la muerte? ¿Cuáles de aquellas personas podían enseñarle de la vida, si estaban ocultas todas detrás de los muros de Villete? ¡Nunca dependería de su ayuda para nada, aunque tuviera que aguardar cinco o seis días para morir!

«Ya pasó un día. Me quedan sólo cuatro o cinco.»

Caminó un poco, dejando que el frío bajo cero penetrara en su cuerpo y calmase la sangre que corría de prisa, el corazón que latía demasiado rápido.

«Muy bien, aquí estoy, con las horas literalmente contadas y dando importancia a los comentarios de gente a la que nunca he visto y que en breve nunca más veré. Y yo sufro, me irrito, quiero atacar y defenderme. ¿Para qué perder el tiempo con esto?»

La realidad, no obstante, era que estaba gastando el poco tiempo que le quedaba en luchar por un espacio en un lugar extraño, donde era preciso hacer resistencia o los demás impondrían sus propias reglas.

«¡No es posible. Yo nunca fui así! ¡Nunca peleé por bobadas!»

Se detuvo en medio del jardín helado. Justamente porque veía

que todo eran bobadas, había terminado aceptando lo que la vida le imponía naturalmente. En la adolescencia veía que era demasiado pronto para escoger; ahora en la juventud se había convencido de que era demasiado tarde para cambiar.

¿Y dónde había gastado toda su energía hasta el momento? Tratando de que todo en su vida continuara igual. Había sacrificado muchos de sus deseos para que sus padres la continuaran queriendo como la querían cuando era niña, aun sabiendo que el verdadero amor se modifica con el tiempo, crece y descubre nuevas maneras de expresarse. Cierto día, cuando su madre —en llanto— le dijo que su matrimonio había acabado, Veronika fue a buscar a su padre, lloró, amenazó, hasta que le arrancó la promesa de que no se iría de casa, sin imaginar el alto precio que los dos pagarían por causa de esto.

Cuando decidió buscarse un empleo, pasó por alto una propuesta tentadora de una compañía que se acababa de instalar en su recién creado país y, en cambio, aceptó el trabajo en la biblioteca pública, donde la paga era poca pero segura. Iba a trabajar todos los días, en el mismo horario, dejando siempre claro a sus jefes que no tenían que verla como una amenaza: estaba satisfecha, no pretendía luchar para ascender; todo lo que ansiaba era el salario al final del mes.

Alquiló el cuarto en el convento porque las monjas exigían que todas las pupilas estuvieran de vuelta a determinada hora y luego echaban llave a la puerta: quien se quedara fuera, que durmiera en la calle. Siempre podría dar una excusa verdadera a sus queridos, para que no la obligaran a pasar la noche en hoteles o en lechos extraños.

Cuando soñaba en el matrimonio se imaginaba siempre en un pequeño chalé en las afueras de Ljubljana, con un hombre diferente de como era su padre, que ganara lo suficiente para mantener a la familia, que estuviera contento con el hecho de que ambos vivieran juntos en una casa con el hogar prendido, mirando las montañas cubiertas de nieve.

Se había educado a sí misma a dar a los hombres una cantidad exacta de placer: ni más ni menos; sólo lo necesario. No sentía enojo contra nadie, porque eso significaba tener que reaccionar, combatir a un enemigo y luego aguantar consecuencias imprevisibles, como venganza.

Cuando consiguió casi todo lo que deseaba en la vida, llegó a la conclusión de que su existencia no tenía sentido, porque todos los días eran iguales. Y decidió morir.

Veronika regresó y se dirigió al grupo reunido en uno de los rincones de la sala. Estaban conversando, animados, pero se callaron en cuanto ella llegó.

Fue directa al hombre de más edad, que parecía ser el jefe, y antes de que nadie pudiera detenerla le propinó una sonora bofetada en la cara.

—¿Vas a reaccionar? —preguntó en voz alta, para que todos en la sala la oyesen—. ¿Vas a hacer algo?

—No —el hombre se pasó la mano por la cara. Un poco de sangre le salió de la nariz—. Usted no nos molestará mucho tiempo.

Ella dejó la sala y se fue a su dormitorio, con aire triunfante. Había hecho algo que nunca hiciera en su vida.

Tres días habían pasado desde el incidente con el grupo que Zedka llamó la Fraternidad. Se había arrepentido de la cachetada, no por miedo a la reacción del hombre, sino porque había hecho algo diferente. En resumen: podía terminar convencida de que la vida valía la pena; sufrimiento inútil, ya que de todos modos tenía que partir de este mundo.

Su única salida fue apartarse de todo y de todos, tratar por todos los medios de ser como era antes, obedecer las órdenes y reglamentos de Villete. Adaptóse a la rutina impuesta por la casa de salud: levantarse temprano, desayuno, paseo por el jardín, comida, sala de recreación, nuevo paseo por el jardín, cena, televisión y cama.

Antes de dormir, una enfermera aparecía siempre con medicamentos. Todas las demás mujeres tomaban pastillas: ella era la única a la que le aplicaban una inyección. Nunca se quejó. Sólo quiso saber por qué le daban tanto calmante, ya que nunca había tenido problemas para dormir. Le explicaron que la inyección no era un somnífero, sino que se trataba de un remedio para su corazón.

Y así, obedeciendo la rutina, los días en el manicomio comenzaron a ser iguales. Cuando se hacen iguales, pasan más rápido: dos o tres días más y no sería necesario lavarse los dientes o peinarse el cabello. Veronika percibía cómo el corazón se debilitaba con rapidez: perdía el resuello con facilidad, sentía dolores de pecho, se le iba el apetito o se mareaba cada vez que hacía algún esfuerzo.

Luego del incidente con la Fraternidad llegó a pensar a veces: «Si tuviera una opción, si hubiera comprendido que mis días eran iguales porque yo así los quería, quizá...».

Pero la respuesta era siempre la misma: «No hay quizá, porque no hay opción». Y la paz interior regresaba porque todo estaba determinado.

En este periodo trabó relación (no amistad, porque la amistad requiere una larga convivencia y eso sería imposible) con Zedka. Jugaban baraja, lo que ayuda a que el tiempo pase más rápido, y a veces caminaban juntas, en silencio, por el jardín.

La mañana de aquel día, en seguida después del desayuno todos salieron para el «baño de sol», como exigía el reglamento. Sin embargo, un enfermero le ordenó a Zedka que fuera al dormitorio, pues era el día de «tratamiento».

Veronika había desayunado con ella y escuchó la citación.

—¿Qué es eso del «tratamiento»?

—Es un proceso antiguo, de los años sesenta pero los médicos creen que puede acelerar la recuperación. ¿Quiere verlo?

—Usted dice que sufría de depresión. ¿No basta tomar el remedio para reponer la sustancia que falta?

—¿Quiere ver? —insistió Zedka.

Iba a salir de la rutina, pensó Veronika. Iba a descubrir cosas nuevas, cuando no necesitaba aprender nada: sólo tener paciencia. Pero su curiosidad fue más grande y asintió con la cabeza.

—Esto no es ninguna exhibición —intervino el enfermero.

—No ha vivido nada y morirá. Déjala con nosotros.

Veronika presenció cómo la mujer era amarrada a la cama, siempre con la sonrisa en los labios.

—Explícale lo que estás haciendo —le indicó Zedka al enfermero— o se va a asustar.

Él se volteó y le mostró una jeringa. Parecía feliz de ser tratado como un médico que explica a los pasantes los procedimientos correctos y los tratamientos adecuados.

—En esta jeringa hay una dosis de insulina —dijo, usando las palabras con tono grave y técnico—. Se emplea con los diabéticos para contrarrestar los niveles altos de azúcar. Pero cuando la dosis es mucho más elevada que la habitual, el descenso del nivel de azúcar provoca el estado de coma.

Golpeó ligeramente la aguja, sacó el aire y la aplicó en una vena del pie derecho de Zedka.

—Es lo que va a suceder ahora. Ella va a entrar en un coma inducido. No debe de asustarse si los ojos se le ponen vidriosos ni espere que la reconozca mientras esté bajo el efecto del medicamento.

—¡Esto es horroroso, inhumano! Las personas luchan para salir, no para entrar en coma.

—Las personas luchan para vivir y no para cometer suicidio —repuso el enfermero, pero Veronika no hizo caso de la provocación—. Y el estado de coma deja el organismo en reposo, sus funciones se reducen drásticamente y la tensión existente desaparece.

Mientras hablaba inyectaba el líquido y los ojos de Zedka iban perdiendo el brillo.

—Esté tranquila —le decía Veronika—. Usted es absolutamente normal: la historia que me contó sobre el rey...

—No pierda el tiempo. Ya no puede oírla.

La mujer echada en la cama, que minutos antes parecía lúcida y plena de vida, ahora tenía los ojos fijos en un punto cualquiera y un líquido espumoso le salía de la boca.

—¿Qué ha hecho usted? —le gritó al enfermero.

—Mi deber.

Veronika empezó a llamar a Zedka, a gritar, a amenazar con la policía, los periódicos, los derechos humanos.

—¡Tranquilícese! Incluso en un manicomio es preciso respetar algunas reglas.

Vio que el hombre hablaba serio y tuvo miedo. Pero como nada tenía que perder, continuó gritando.

Desde donde estaba, Zedka podía ver el dormitorio con todas las camas vacías, excepto una, donde reposaba su cuerpo amarrado, con una chica que miraba espantada hacia ella. La muchacha no sabía que aquella persona aún tenía sus funciones biológicas en perfecto estado, mas su alma estaba en el aire, casi tocando el techo, experimentando una profunda paz.

Zedka estaba realizando un viaje astral, algo que fue una sorpresa durante el primer choque de insulina. No lo había comentado con nadie. Estaba allí sólo para curar una depresión y pretendía dejar aquel lugar para siempre en cuanto sus condiciones se lo permitiesen. Si empezaba a comentar que había salido del cuerpo, pensarían que estaba más loca que cuando entró en Villete. Así que, en cuanto regresó al cuerpo, se dedicó a leer sobre esos dos temas: el choque de insulina y la extraña sensación de flotar en el espacio.

No había gran cosa sobre el tratamiento: había sido aplicado por primera vez en 1930, pero fue por completo desterrado de los hospitales psiquiátricos por la posibilidad de causar daños irreversibles en el paciente. Una vez, durante una sesión de choque, visitó en cuerpo astral el despacho del doctor Igor, justamen-

te en el momento en que éste discutía el tema con algunos de los dueños del hospital. «¡Es un crimen!», exclamaba él. «¡Pero es más barato y más rápido! —replicaba uno de los accionistas—. Además, ¿quién se interesa por los derechos de los locos? ¡Nadie va a reclamar nada!»

De todos modos, algunos médicos aún consideraban el procedimiento como una forma rápida de tratar la depresión. Zedka se había procurado —pidiéndolo prestado— todo tipo de libro que tratara del choque insulínico, en especial los comentarios de los pacientes que ya habían pasado por aquello. La historia era siempre la misma: horrores y más horrores, sin que ninguno hubiera experimentado nada parecido a lo que ella vivía en ese momento.

Concluyó, con razón, que no existía relación entre la insulina y la sensación de que su conciencia salía del cuerpo. Muy al contrario, la tendencia de aquel tipo de tratamiento era disminuir la capacidad mental del paciente.

Comenzó a inquirir sobre la existencia del alma, pasó por algunos libros de ocultismo, hasta que un día terminó encontrando una vasta literatura que describía exactamente lo que ella experimentaba: se llamaba «viaje astral» y muchas personas también lo habían experimentado. Algunas habían descrito lo que sentían y otras incluso habían desarrollado técnicas para provocar la salida del cuerpo. Zedka ahora sabía de memoria esas técnicas y las utilizaba todas las noches para ir adonde se le antojaba.

Los relatos de experiencias y visiones variaban, pero todos tenían algunos puntos en común: el extraño e irritante ruido que precede a la separación del cuerpo y del espíritu, seguido del choque, de una rápida pérdida de conciencia y luego la paz y la alegría de estar flotando en el aire, prendida del cuerpo por un cordón plateado, cordón que se podía estirar indefinidamente, aunque se contaba (en los libros, es claro) que la persona moriría si dejaba que el tal hilo de plata se rompiera.

Su experiencia, empero, mostraba que podía ir cuan lejos quisiese y el cordón no se rompía nunca. Pero, en general, los libros le habían sido muy útiles para enseñarle a aprovechar cada vez más el viaje astral. Había aprendido, por ejemplo, que cuando quería cambiar de lugar tenía que *desear* proyectarse en el espacio, mentalizando a dónde quería llegar. A diferencia de lo que hacen los aviones, que salen de un lugar y recorren determinada distancia hasta llegar a un punto, el viaje astral se realizaba por túneles misteriosos. Mentalizaba un lugar, entraba en uno de esos túneles a una velocidad espantosa y el lugar deseado aparecía.

También mediante los libros fue como perdió el miedo a los seres que habitan el espacio. Hoy no había nadie en el dormitorio, pero la primera vez que salió del cuerpo encontró a mucha gente que la miraba, divertida con su cara de sorpresa.

Su primera reacción fue pensar que se trataba de difuntos, de fantasmas que habitaban el lugar. Luego, con la ayuda de los libros y por propia experiencia, se dio cuenta de que si bien erraban por ahí algunos espíritus descarnados, había mucha gente tan viva como ella, que también había aprendido la técnica para sa-

lir del cuerpo o bien que no tenía conciencia de lo que sucedía porque, en algún lugar del mundo, dormía profundamente mientras sus espíritus vagaban a sus anchas.

Hoy, por ser el último viaje astral con insulina, pues acababa de visitar el despacho del doctor Igor y sabía que ya la iba a dar de alta, decidió pasearse por Villete. En cuanto cruzara la puerta de salida, nunca más regresaría allí, ni siquiera en espíritu, así que quiso despedirse.

Despedirse. Ésta era la parte más difícil: una vez en un manicomio, la persona se acostumbra a la libertad existente en el mundo de la locura y acaba por viciarse. Ya no tiene que cargar con responsabilidades, luchar por el pan de cada día, atender cosas que son reiterativas y aburridas; se puede quedar horas contemplando un cuadro o haciendo los dibujos más absurdos. Todo es tolerable porque, a fin de cuentas, se trata de un enfermo mental. Como ella misma tuvo ocasión de experimentar, la mayor parte de los enfermos presenta una gran mejoría en cuanto pisan el manicomio: ya no tienen que ir ocultando los síntomas y el ambiente «familiar» los ayuda a aceptar las propias neurosis y psicosis.

En un principio, Zedka quedó fascinada con Villete y llegó a pensar, una vez estuviera curada, en formar parte de la Fraternidad. Pero entendió que, con algo de maña, podría continuar haciendo afuera todo lo que quisiera hacer, sin descuidar los desafíos de la vida diaria. Bastaba mantener, como alguien dijera, la *locura controlada*. Llorar, preocuparse, enojarse como cualquier ser humano, sin olvidar nunca que allá arriba su espíritu se reía de todas las situaciones difíciles.

En breve estaría de nuevo en su casa, con los hijos, el marido, y esta parte de la vida también tiene sus encantos. Desde luego tendría dificultad en encontrar trabajo; al cabo, en una ciudad pequeña como Ljubljana, los chismes corren con rapidez y su hospitalización en Villete ya era del conocimiento de mucha gente. Pero su marido ganaba lo suficiente para mantener a la familia y ella podría aprovechar el tiempo libre para continuar con sus viajes astrales, sin la peligrosa influencia de la insulina.

Sólo una cosa no quería volver a experimentar jamás: el motivo que la trajo a Villete. Depresión.

Los médicos decían que una sustancia recién descubierta, la serotonina, es una de las responsables del estado de ánimo del ser humano. La falta de serotonina interfiere la capacidad de concentración en el trabajo, en el sueño, en el comer y en el disfrute de los momentos agradables de la vida. Cuando esta sustancia falta por completo, la persona siente desesperación, pesimismo, sensación de inutilidad, excesivo cansancio, ansiedad, dificultades para tomar decisiones y termina sumiéndose en una tristeza permanente que la conduce a una apatía completa o al suicidio.

Otros médicos, más conservadores, sostienen que los cambios drásticos en la vida de alguien, como cambio de país, pérdida de un ser querido, divorcio, aumento de exigencias en el trabajo o en la familia, son causa de la depresión. Algunos estudios modernos, basados en el número de hospitalizaciones en invierno y en verano, insinúan la falta de luz solar como uno de los elementos causantes de la depresión.

En el caso de Zedka, sin embargo, las razones eran más simples que cuanto todos suponían: un hombre oculto en su pasa-

do o, mejor, la fantasía que había creado en torno a un hombre que conoció mucho tiempo atrás.

¡Qué estupidez! Depresión, locura por un hombre que ni siquiera sabía dónde vivía, por el que se apasionó perdidamente en su juventud. Como tantas chicas de su edad, Zedka era una persona absolutamente normal, pero necesitaba pasar por la experiencia del Amor Imposible.

Salvo que, a diferencia de sus amigas, que sólo soñaban con el Amor Imposible, Zedka decidió ir más allá: tenía que conquistarlo. Él vivía del otro lado del océano y ella lo vendió todo para ir a su encuentro. Era casado y ella aceptó el papel de amante, tramando planes secretos para un día conquistarlo como marido. Él no tenía tiempo ni para sí mismo, pero ella se resignó a pasar días y noches en el cuarto del hotel barato, esperando sus raras llamadas telefónicas.

A pesar de estar dispuesta a soportarlo todo, en nombre del amor, la relación acabó en fracaso. Él nunca se lo dijo a las claras, pero un día Zedka entendió que ya no era bien recibida y regresó a Eslovenia.

Pasó algunos meses malcomiendo, recordando cada instante que estuvieron juntos, reviviendo miles de veces los momentos de alegría y placer en la cama, tratando de descubrir alguna pista que le permitiera creer en el futuro de aquella relación. Sus amigos se preocuparon, pero algo en el corazón de Zedka le decía que aquello era pasajero: el proceso de crecimiento de una persona exige un precio que ella estaba pagando sin chistar. Y así

fue: cierta mañana despertó con una inmensa voluntad de vivir, comió como desde hacía mucho tiempo no lo hacía y salió para conseguirse un empleo.

Consiguió no sólo el empleo sino las atenciones de un joven apuesto, inteligente, cortejado por muchas mujeres. Al año estaba casada con él.

Despertó la envidia y el aplauso de sus amigas. La pareja fue a vivir a una casa cómoda, con un huerto que daba al río que cruza Ljubljana. Tuvieron hijos y en el verano se iban a Austria o a Italia.

Cuando Eslovenia decidió separarse de Yugoslavia, él fue llamado a filas. Zedka era serbia (o sea, «el enemigo») y su vida estuvo a punto de derrumbarse. En los diez días de tensión que siguieron, con las tropas listas para ir al frente y sin que nadie supiera de cierto cuál iba a ser el resultado de la declaración de independencia ni la sangre que se debería derramar por ella, Zedka se dio cuenta de su amor. Pasaba todo el tiempo rezándole a un Dios que hasta entonces le había parecido distante, pero que ahora era su única salida: prometió a los santos y a los ángeles todo con tal de tener a su marido de nuevo en casa.

Y así fue. Él regresó, los hijos pudieron ir a escuelas que enseñaban el esloveno y la amenaza de guerra se trasladó a la vecina república de Croacia.

Pasaron tres años. La guerra de Yugoslavia contra Croacia pasó a Bosnia y comenzaron a aparecer denuncias de matanzas cometidas por los serbios. A Zedka aquello le parecía injusto:

juzgar criminal a toda una nación por los desvaríos de algunos alucinados. Su vida cobró un sentido que nunca había tenido: defendió con orgullo y bravura a su pueblo, escribiendo en los periódicos, presentándose en la televisión, organizando conferencias. Nada de aquello dio resultado y hasta aquel momento los extranjeros seguían pensando que *todos* los serbios eran responsables de las atrocidades, pero Zedka sabía que había cumplido con su deber y que nunca abandonó a sus hermanos en la hora difícil. Para esto había contado con el apoyo de su marido esloveno, de sus hijos y de las personas que no se dejaban manipular por las engrasadas máquinas de propaganda de ambos bandos.

Una tarde pasó frente a la estatua de Prešeren, el gran poeta esloveno, y comenzó a reflexionar sobre su vida. A los 34 años, él había entrado cierta vez en una iglesia y vio a una joven adolescente, Julia Primic, por la que se apasionó perdidamente. Como los antiguos trovadores, le escribió poemas, con la esperanza de casarse con ella.

Resultó que Julia era hija de una familia de la alta burguesía y, salvo en aquel encuentro fortuito en la iglesia, Prešeren nunca consiguió acercársele. Pero aquel encuentro le inspiró sus mejores versos y creó la leyenda en torno a su nombre. En la pequeña plaza central de Ljubljana, la estatua del poeta mantiene los ojos fijos en una dirección: quien siga su mirada descubrirá, del otro lado de la plaza, un rostro de mujer esculpido en la pared de una de las casas. Allí moraba Julia. Prešeren, incluso

después de muerto, contempla por toda la eternidad su amor imposible.

¿Y si él hubiera luchado más?

El corazón de Zedka se aceleró. Quizá fue el presentimiento de algo malo, un accidente sufrido por sus hijos. Regresó corriendo a casa: estaban viendo la televisión y comiendo palomitas.

Pero la tristeza no se fue. Zedka se acostó, durmió casi doce horas y, cuando despertó, no tenía ganas de levantarse. La historia de Prešeren le había devuelto la imagen de aquel su primer amante, de cuyo destino nunca más tuvo noticias.

Y Zedka se preguntaba: «¿Insistí lo suficiente? ¿Tendría que haber aceptado sin condiciones el papel de amante, en vez de querer que las cosas anduvieran según mis propias expectativas? ¿Luché por mi primer amor con el mismo tesón con que luché por mi pueblo?».

Zedka se convenció de que sí, pero la tristeza no disminuía. Lo que antes le parecía un paraíso —la casa junto al río, el marido a quien amaba, los hijos comiendo palomitas frente al televisor— comenzó a transformarse en un infierno.

Hoy, después de muchos viajes astrales y muchos encuentros con espíritus desarrollados, Zedka sabía que todo aquello eran boberías. Había usado su Amor Imposible como una excusa, un pretexto para romper los lazos con la vida que llevaba y que distaba de lo que ella realmente esperaba de sí misma.

Pero doce meses antes la situación había sido otra: se dedicó a buscar frenéticamente al hombre distante, gastó fortunas en llamadas internacionales, pero él ya no vivía en la misma ciudad y fue imposible dar con él. Mandó cartas urgentes que acababan siéndole devueltas. Averiguó con todas las amigas y amigos que lo conocían, pero nadie tenía la menor idea de lo que había sido de él.

Su marido no se enteró de nada y esto la llevaba a la locura: porque él debió al menos sospechar algo, hacer alguna escena, quejarse, amenazar con dejarla en medio de la calle. Llegó a tener la seguridad de que las telefonistas internacionales, los correos, las amigas habían sido sobornadas por él, que fingía indiferencia. Vendió las joyas de la boda y compró un pasaje para el otro lado del océano, hasta que alguien la convenció de que las Américas son un territorio inmenso y que de nada servía ir sin tener la certeza de adónde llegar.

Cierta tarde se acostó sufriendo de amor como nunca antes, ni siquiera cuando tuvo que regresar a la aburrida cotidianidad de Ljubljana. Se pasó aquella noche y todo el día siguiente en su recámara. Más otro día. Al tercer día, el marido llamó a un médico: ¡qué bueno era!, ¡cuánta preocupación por ella! ¿Sería que aquel hombre no entendía que Zedka trataba de verse con otro, cometer adulterio, cambiar su vida de mujer respetada por la de una simple amante escondida, dejar Ljubljana, su casa, sus hijos, para siempre?

Llegó el médico. Ella sufrió un ataque nervioso. Cerró con llave la puerta y sólo volvió a abrirla cuando el doctor se había ido. Una semana después no tenía voluntad ni para ir al baño e hizo sus necesidades fisiológicas en la cama. Ya no pensaba: su

cabeza estaba ocupada enteramente por los fragmentos de memoria del hombre que —estaba convencida— también la buscaba sin conseguir encontrarla.

El marido, irritantemente generoso, cambiaba las sábanas, le pasaba la mano por la cabeza, decía que todo iba a acabar bien. Los hijos no entraban en la recámara desde que ella abofeteó a uno de ellos sin ningún motivo... después se arrodilló, besó sus pies implorando perdón, rasgándose el camisón en pedazos para mostrar su desesperación y arrepentimiento.

Al cabo de otra semana, en que escupió la comida que le ofrecían, entró y salió de esta realidad varias veces, pasó noches enteras en vela y días enteros durmiendo, dos hombres entraron en su alcoba sin llamar. Uno de ellos la inmovilizó mientras el otro le aplicaba una inyección. Despertó en Villete.

«Depresión —escuchó que el médico le decía a su marido—, a veces provocada por los motivos más triviales. A su organismo le falta un elemento químico, la serotonina.»

Desde el techo del dormitorio, Zedka vio cómo el enfermero llegaba con una jeringa en la mano. La chica continuaba allí, quieta, tratando de conversar con su cuerpo, desesperada ante su mirada vacía. Por unos instantes, Zedka sopesó la posibilidad de contarle todo lo que estaba sucediendo, pero luego cambió de idea. Las personas no aprenden nunca lo que les es contado; es necesario que lo descubran por ellas mismas.

El enfermero introdujo la aguja en su brazo y le inyectó glucosa. Como si hubiera sido empujado por un enorme brazo, su espíritu salió del techo del dormitorio, pasó a alta velocidad por un túnel negro y regresó al cuerpo.

—¡Hola, Veronika!

La muchacha tenía un aspecto despavorido.

—¿Está usted bien?

—Claro. Por fin he logrado escapar de este peligroso tratamiento; ya no se repetirá más.

—¿Cómo lo sabe usted? Aquí no respetan a nadie.

Zedka lo sabía porque había ido, en cuerpo astral, hasta el despacho del doctor Igor.

—Yo sé, pero no sé cómo explicarlo. ¿Se acuerda de la primera pregunta que le hice?

—¿Qué es un loco?

—Exactamente. Esta vez le voy a responder sin fábulas: la locura es la incapacidad de comunicar las propias ideas. Como si uno estuviera en un país extranjero, viéndolo todo, entendiendo lo que pasa en torno, pero fuese incapaz de explicarse y de ser ayudada porque no entiende la lengua que hablan allí.

—Todos nosotros hemos sentido eso alguna vez.

—Todos nosotros, de una forma u otra, somos locos.

Del otro lado de la ventana enrejada, el cielo estaba tachonado de estrellas, con una luna en cuarto creciente que subía por detrás de las montañas. A los poetas les gustaba la luna llena y han escrito miles de versos sobre ella, pero Veronika se apasionaba por aquella media luna, porque aún había espacio para aumentar, para expandirse y henchir de luz toda su superficie, antes de la inevitable decadencia.

Se le antojó ir al piano de la sala y celebrar aquella noche con una bella sonata que aprendió en el colegio. Mientras miraba el cielo, la embargaba una indescriptible sensación de bienestar, como si el infinito del Universo mostrara también su propia eternidad. Pero estaba separada de su deseo por una puerta de acero... y una mujer que nunca acababa de leer su libro. Para colmo, nadie tocaba el piano a aquella hora de la noche: despertaría a todo el vecindario.

Veronika rió. El «vecindario» eran los dormitorios repletos de locos, locos —a su vez— repletos de remedios para dormir.

La sensación de bienestar, con todo, continuaba. Se levantó y fue hasta el lecho de Zedka, pero ésta dormía profundamente, quizá para reponerse de la horrible experiencia por la que acababa de pasar.

—Regrese a su cama —dijo la enfermera—. Las chicas buenas están soñando con los angelitos y con sus galanes.

—No me trate como a una niña. No soy una loca mansa que le tenga miedo a todo. Soy furiosa, tengo ataques histéricos, no respeto nada en mi vida, ni la vida de los demás. Hoy, sin embargo, estoy ligada. Miré la luna y quiero conversar con alguien.

La enfermera la miró, sorprendida con la actitud.

—¿Usted tiene miedo de mí? —insistió Veronika—. Faltan uno o dos días para mi muerte; ¿qué tengo que perder?

—¿Por qué no va a dar un paseo, muchacha, y me deja terminar el libro?

—Porque existe una prisión y una carcelera que finge leer un libro, sólo para mostrar a los demás que es una mujer inteligente. Pero, en realidad, está atenta a cada movimiento del dormitorio y guarda las llaves de la puerta como si fueran un tesoro. El reglamento ha de ordenar esto y ella obedece, porque así puede mostrar la autoridad que no tiene en su vida diaria, con su marido e hijos.

Veronika temblaba, sin entender bien por qué.

—¿Llaves? —preguntó la enfermera—. La puerta siempre está abierta. ¡Imagine si me voy a quedar aquí adentro atrancada con un montón de enfermos mentales!...

«¿Cómo que la puerta está abierta? Hace unos días quise salir de aquí y esta mujer fue hasta la puerta del baño para vigilarme. ¿Qué está diciendo?»

—... No me tome en serio —prosiguió la enfermera—. En

realidad no necesitamos mucho control por los comprimidos para dormir. ¿Tiembla de frío?

—No sé. Creo que ha de ser cosa de mi corazón.

—Si quiere, vaya a dar un paseo.

—En realidad, lo que me gustaría ahora sería tocar el piano.

—La sala está aislada y el ruido no molestaría a nadie. Haga lo que le plazca.

El temblor de Veronika se transformó en sollozos bajos, tímidos, contenidos. Se arrodilló y reclinó la cabeza en el cuello de la mujer, llorando sin parar.

La enfermera dejó el libro, acarició sus cabellos, dejando que la onda de tristeza y llanto corriera sin trabas. Así se quedaron las dos durante casi media hora: una que lloraba sin decir por qué y la otra que consolaba sin saber el motivo.

Los sollozos por fin terminaron. La enfermera se levantó, la tomó del brazo y la condujo hasta la puerta.

—Tengo una hija de su edad. Cuando usted llegó acá, llena de sueros y tubos, me quedé pensando por qué una chica guapa, joven, con toda la vida por delante, decide matarse.

»Luego comenzaron a correr chismes: la carta que dejó —y nunca creía que fuera el verdadero motivo— y los días contados por causa de un problema incurable del corazón. La imagen de mi hija no se me iba de la cabeza: ¿y si se le ocurría hacer una cosa igual? ¿Por qué ciertas personas tratan de ir contra el orden natural de la vida, que es luchar para sobrevivir a toda costa?

—Por esto estaba llorando —dijo Veronika—. Al tomar las pastillas, yo quería matar a alguien a quien detestaba. No sabía que existían dentro de mí otras Veronikas a las que podía amar.

—¿Qué hace que una persona se deteste a sí misma?

—Tal vez la cobardía o el eterno miedo a estar equivocada, a no hacer lo que los demás esperan. Hace unos minutos estaba alegre: olvidé mi sentencia de muerte. Cuando volví a entender la situación en que me encuentro me asusté.

La enfermera abrió la puerta y Veronika salió.

«No tenía por qué haberme preguntado eso. ¿Quería saber por qué estaba llorando? ¿Será que no sabe que soy una persona absolutamente normal, con deseos y miedos como los de todo el mundo y que este tipo de pregunta —ahora que ya es tarde— puede hacer que sienta pánico?»

Mientras caminaba por los corredores, iluminados por la misma lámpara débil que vio en el dormitorio, Veronika tomó conciencia de que, en efecto, era demasiado tarde: ya no conseguía controlar el miedo.

«Tengo que controlarme. Soy alguien que lleva hasta el fin todo lo que desea hacer.»

Era verdad que había llevado hasta las últimas consecuencias muchas cosas en su vida, pero sólo lo que no era importante, como prolongar peleas que una disculpa podía resolver o dejar de andar con un hombre, por el que estaba apasionada, por creer que la relación no conducía a nada. Había sido intransigente justamente en aquello que era más fácil: fingirse a sí misma que era fuerte e indiferente, cuando en verdad era una mujer frágil que nunca consiguió destacar en los estudios, en las competiciones deportivas de la escuela, en los intentos de mantener la armonía en el hogar.

Había superado sus defectos sencillos, sólo para verse derrotada en las cosas importantes y fundamentales. Daba la apariencia de ser una mujer independiente, cuando necesitaba desesperadamente de una compañía. A donde iba, todos se le quedaban mirando, pero generalmente terminaba la noche sola, en el convento, viendo la televisión que ni siquiera sintonizaba bien los canales. Daba a todos sus amigos la impresión de ser un modelo que debían envidiar y había gastado lo mejor de sus energías tratando de comportarse a la altura de la imagen que había creado para sí.

Por causa de esto nunca le habían sobrado fuerzas para ser ella misma: una persona que, como las demás del mundo, necesitaba de los otros para ser feliz. ¡Pero los otros eran tan difíciles! Tenían reacciones imprevisibles, vivían rodeados de defensas, se comportaban también como ella, mostrando indiferencia para con todo. Cuando llegaba alguien más abierto hacia la vida, o lo rechazaban de inmediato o lo hacían sufrir considerándolo inferior e «ingenuo».

Muy bien: quizá había impresionado a mucha gente con su fuerza y determinación, pero ¿adónde había llegado? Al vacío. A la soledad completa. A Villete. A la antesala de la muerte.

El remordimiento por el intento de suicidio regresó y volvió a apartarlo con firmeza. Porque ahora estaba sintiendo algo que nunca se había permitido: odio.

Odio. Algo casi tan físico como las paredes, los pianos o los dormitorios: casi podía tocar la energía destructora que salía de su cuerpo. Dejó que el sentimiento viniese, sin preocuparse por si era bueno o no: ¡basta de autocontrol, máscaras o posturas

convencionales! Quería pasar los dos o tres días de vida siendo lo más inconvencional posible.

Había comenzado dando un bofetón en la cara de un hombre mayor, tuvo un ataque con el enfermero, rehusó ser simpática y conversar con los demás cuando quería estar sola y ahora era libre y suficiente para sentir odio; aunque era lo bastante astuta para no dedicarse a romper cuanto tenía alrededor y tener que pasar el final de su vida bajo el efecto de sedantes, en una cama del dormitorio.

Odió todo lo que pudo en aquel momento: a sí misma, al mundo, la silla que tenía delante, la calefacción rota de uno de los corredores, las personas perfectas, los criminales. Había sido internada en un manicomio y podía sentir cosas que los seres humanos esconden de sí mismos, porque somos educados sólo para amar, aceptar, tratar de descubrir alguna salida, evitar el conflicto. Veronika lo odiaba todo, pero odiaba principalmente el modo como había llevado su vida, sin jamás descubrir los centenares de otras Veronikas que habitaban dentro de ella y que eran interesantes, locas, curiosas, valientes y arriesgadas.

En dado momento, comenzó a sentir odio también por la persona que más amaba en el mundo: su madre. La excelente esposa que trabajaba de día y lavaba los platos de noche, sacrificando su vida para que la hija recibiera una buena educación, aprendiera a tocar el piano y el violín, anduviera vestida como una princesa, comprase tenis y pantalones de marca, mientras que ella echaba remiendos al viejo vestido que usaba desde hacía años.

«¿Cómo puedo odiar a quien sólo me ha dado amor?», pensaba Veronika, confusa, queriendo enderezar sus sentimientos.

Pero ya era demasiado tarde, el odio andaba suelto: le había abierto las puertas de su infierno personal. Odiaba el amor que había recibido (porque este amor no pedía nada a cambio), lo que es absurdo, irreal, contra las leyes de la naturaleza.

El amor que nada pedía a cambio la llenaba de culpa, de voluntad de corresponder a sus expectativas, aunque esto significara desistir de cuanto había soñado para sí. Era un amor que durante años le escondió los desafíos y la podredumbre del mundo, ignorando que un día ella se daría cuenta y no tendría defensas para hacerles frente.

¿Y su padre? Odiaba a su padre también. Porque, al contrario de su madre que todo el tiempo trabajaba, él sabía vivir, la llevaba a los bares y al teatro, se divertían juntos y cuando aún era joven ella lo había amado en secreto, no como se ama a un padre sino a un hombre. Lo odiaba porque fue siempre tan encantador y tan abierto con todo el mundo... menos con su madre, la única que realmente merecía lo mejor.

Lo odiaba todo. La biblioteca, con su montón de libros llenos de explicaciones sobre la vida, el colegio donde se vio obligada a pasar noches enteras aprendiendo álgebra, aunque no conocía a nadie —salvo los profesores y los matemáticos— que necesitara el álgebra para ser más feliz. ¿Por qué había tenido que estudiar tanta álgebra o geometría o aquella montaña de cosas absolutamente inútiles?

Veronika empujó la puerta de la sala de estar; llegó ante el piano, levantó la tapa y, con toda la fuerza, golpeó el teclado con las

manos. Un acorde alocado, sin nexo, irritante, que resonó por el ambiente vacío, rebotando en las paredes, regresó a sus oídos bajo la forma de un ruido agudo que parecía arañarle el alma. Pero ése era el mejor retrato de su alma en aquel momento.

Volvió a golpear con las manos y una vez más las disonantes notas reverberaron por todas partes.

«Estoy loca. Puedo hacer esto. Puedo odiar y puedo aporrear el piano. ¿Desde cuándo los enfermos mentales saben poner las notas en orden?»

Continuó aporreando el instrumento una, dos, diez, veinte veces, y cada vez que lo hacía su odio parecía disminuir, hasta que se le pasó por completo.

Entonces, de nuevo, una profunda paz la inundó y volvió a mirar el cielo estrellado, con la luna en cuarto creciente —su favorita— que henchía de luz suave el lugar donde se encontraba. Le llegó de nuevo la sensación de que Infinito y Eternidad iban de la mano y bastaba contemplar uno de ellos —como el Universo sin límites— para notar la presencia del otro, el Tiempo que no termina nunca, que no pasa, que permanece en el Presente, donde están todos los secretos de la vida. Entre el dormitorio y la sala había sido capaz de odiar tan fuerte, tan intensamente, que no le quedó rencor alguno en el corazón. Había dejado que sus sentimientos negativos, reprimidos durante años en su alma, afloraran por fin. Los había *sentido*, y ahora ya no eran necesarios: podían partir.

Permaneció en silencio, viviendo su momento Presente, dejando que el amor ocupara el espacio vacío que había dejado el odio. Cuando sintió que había llegado el momento, se volteó hacia la luna y tocó una sonata en su homenaje, sabiendo que ella la escuchaba, se sentía orgullosa y esto provocaba celos en las estrellas. Tocó entonces una melodía para las estrellas, otra para el jardín y una tercera para las montañas que no podía ver de noche, pero que sabía estaban allí.

En medio de la música para el jardín se presentó otro loco, Eduard, un esquizofrénico que no tenía posibilidad de curación. Ella no se asustó con su presencia; al contrario, sonrió y, para su sorpresa, él le devolvió la sonrisa.

También en su mundo distante, más distante que la luna, la música era capaz de penetrar y hacer milagros.

«Tengo que comprar un nuevo llavero», pensaba el doctor Igor cada vez que abría la puerta de su pequeño despacho en el sanatorio de Villete. El que tenía estaba hecho pedazos y el escudito de adorno se le acababa de caer al suelo.

El doctor Igor se agachó y lo tomó. ¿Qué haría con ese escudo que representaba el blasón de Ljubljana? Mejor tirarlo. Pero también podía mandar componerlo, colocarle una nueva asa de cuero, o podía dárselo a su nieto para que jugara con él. Ambas alternativas le parecían absurdas: un llavero era muy barato y su nieto no sentía el menor interés por los escudos; se pasaba el tiempo viendo la televisión o divertido con juegos electrónicos importados de Italia. De todas formas, no lo tiró; se lo metió en el bolsillo, para decidir más tarde qué hacer con él.

Por eso era un director de manicomio y no un enfermo, porque reflexionaba mucho antes de tomar una decisión.

Prendió la luz (cada vez amanecía más tarde, a medida que avanzaba el invierno). La falta de luz, así como las mudanzas de casa o los divorcios eran los principales responsables del aumento del número de casos de depresión. El doctor ansiaba que la primavera llegara en seguida y le resolviera la mitad de sus problemas.

Echó un vistazo a la agenda del día. Tenía que estudiar algunas medidas para no dejar que Eduard muriera de hambre. Su esquizofrenia lo volvía imprevisible y ahora había dejado de comer por completo. Ya le había recetado alimentación intravenosa, pero ésta no lo podía mantener por siempre. Eduard tenía 28 años, era fuerte, pero con el puro suero acabaría enflaqueciendo, con aspecto esquelético.

¿Cuál sería la reacción del padre de Eduard, uno de los más conocidos embajadores de la joven república eslovena, uno de los artífices de las delicadas negociaciones con Yugoslavia a comienzo de los noventa? Al cabo, ese hombre había estado trabajando años para Belgrado, había sobrevivido a sus detractores —que lo acusaban de haber servido al enemigo— y continuaba en el cuerpo diplomático, sólo que esta vez representando a un país diferente. Era un hombre poderoso e influyente, temido por todos.

El doctor Igor se preocupó un instante —como antes se había preocupado por el escudo del llavero—, pero de inmediato apartó el pensamiento de la cabeza: para el embajador igual daba que su hijo tuviera buen o mal aspecto; no lo iba a llevar a las recepciones oficiales ni lo acompañaría por los lugares del mundo adonde iba en representación del gobierno. Eduard estaba en Villete y allí continuaría por siempre o durante el tiempo que el padre continuara ganando aquellos sueldos enormes.

El doctor Igor decidió retirar la alimentación intravenosa y dejaría que Eduard adelgazara un poco más hasta que, por él mismo, decidiera volver a comer. Si la situación llegara a empeorar, prepararía un expediente y trasladaría la responsabilidad al consejo médico que administraba Villete. «Si no quieres problemas,

distribuye siempre la responsabilidad», le había enseñado su padre, también médico, que tuvo varias muertes en sus manos pero ningún problema con las autoridades.

Una vez prescrita la interrupción del tratamiento de Eduard, el doctor Igor pasó al siguiente caso: el expediente decía que la paciente Zedka Mendel ya había concluido su periodo de tratamiento y podía ser dada de alta. El doctor Igor decidió comprobarlo con sus propios ojos; al cabo, nada peor para un médico que recibir reclamos de parte de las familias de los enfermos que pasaban por Villete. Y casi siempre acontecía que, tras un periodo en un hospital de enfermos mentales, el paciente rara vez se adaptaba de nuevo a la vida normal.

No era culpa del sanatorio. Ni de ninguno de todos los sanatorios repartidos —sólo Dios lo sabía— por los cuatro rincones del mundo, donde el problema de la readaptación de los internos era exactamente igual. Así como la prisión nunca corregía al preso (sólo le enseñaba a cometer más crímenes), los hospitales psiquiátricos acostumbraban a los enfermos a un mundo por completo irreal, donde todo estaba permitido y nadie requería tener responsabilidad de sus actos.

De manera que sólo había una salida: descubrir la cura de la Demencia. Y el doctor Igor se había empeñado hasta los codos en eso y al respecto estaba preparando una tesis que revolucionaría el medio psiquiátrico. En los manicomios, la convivencia de pacientes transitorios con los irrecuperables llevaba a un proceso de degeneración social que, una vez comenzado, era impo-

sible detener. La tal Zedka Mendel terminaría regresando al hospital, esta vez por propia voluntad, quejándose de males inexistentes, sólo para estar cerca de personas que parecían comprenderla mejor que el mundo de allá afuera.

Si, pues, llegara a descubrir cómo combatir el Vitriolo (para el doctor Igor, el veneno responsable de la locura), su nombre pasaría a la Historia y Eslovenia, al fin, ocuparía un lugar en el mapa. Aquella semana había aparecido una oportunidad caída del cielo, en forma de una potencial suicida. No estaba dispuesto a perderse esa oportunidad por ningún dinero del mundo.

El doctor Igor estaba contento. Aunque por razones económicas se viera precisado a aceptar tratamientos que hacía mucho habían sido condenados por la medicina —como el choque de insulina—, también por motivos financieros Villete estaba innovando el tratamiento psiquiátrico. Además de disponer de tiempo y elementos para la investigación del Vitriolo, contaba además con el apoyo de los dueños para mantener en la institución el grupo llamado la Fraternidad. Los accionistas habían permitido que fuese tolerada —entiéndase bien: no fomentada, sino *tolerada*— una hospitalización más larga que la necesaria. Argumentaban que, por razones humanitarias, se le debía dar al recién curado la opción de decidir cuál era el mejor momento de reintegrarse al mundo, lo cual condujo a que un grupo de personas decidiera permanecer en Villete, como en un hotel especial o en un club donde se reúnen quienes tienen afinidades en común. Así, el doctor Igor podía mantener a locos y sanos en un mismo ambiente,

haciendo que estos últimos influyeran positivamente en los primeros. Para evitar que las cosas degenerasen y que los locos acabaran contagiando a los que ya estaban curados, todo miembro de la Fraternidad tenía que salir del sanatorio al menos una vez al día.

El doctor Igor sabía que las razones alegadas por los accionistas para permitir la permanencia de personas curadas en el hospital —«razones humanitarias», decían— eran sólo un pretexto. En realidad tenían miedo de que Ljubljana, la pequeña y encantadora capital de Eslovenia, no tuviera el suficiente número de locos ricos capaces de mantener aquella estructura cara y moderna, tanto más que el sistema de salud pública contaba con hospitales psiquiátricos de primera calidad, lo que dejaba a Villete en situación de desventaja en el mercado de los problemas mentales.

Cuando los accionistas transformaron el ex cuartel en hospital psiquiátrico habían puesto la mira en los hombres y mujeres posiblemente afectados por la guerra con Yugoslavia. Mas la guerra duró muy poco. Los accionistas contaban con que la guerra volvería, pero no fue así.

Luego, por recientes investigaciones, se enteraron de que las guerras recababan sus víctimas mentales, sí, pero en escala mucho menor que la tensión, el tedio, las enfermedades congénitas, la soledad y el rechazo. Cuando una colectividad debía arrostrar un gran problema, como en el caso de una guerra, una hiperinflación o una peste, se notaba un pequeño aumento en el número de suicidios, mas una gran disminución en los casos de depresión, paranoia, psicosis. Estos casos regresaban a sus índices normales

después que tal problema había sido superado, lo que señalaba —según entendía el doctor Igor— que el ser humano sólo se da el lujo de volverse loco cuando se dan condiciones para ello.

Tenía ante sus ojos otra investigación reciente, esta vez venida de Canadá, país que según un periódico de Estados Unidos era el país con nivel de vida más alto del mundo. El doctor Igor leyó:

- *Según* Statistics Canadá *sufrían algún tipo de enfermedad mental*:

  40% de las personas entre 15 y 34 años;
  33% de las personas entre 35 y 54 años;
  20% de las personas entre 55 y 64 años.
- Se estima que 1 de cada 5 individuos sufre algún tipo de trastorno psiquiátrico.
- Uno de cada 8 canadienses será hospitalizado por trastornos mentales al menos una vez en su vida.

«Excelente mercado, mejor que aquí —pensó—. Cuanto más felices pueden ser las personas, más infelices se vuelven.»

El doctor Igor analizó algunos casos más, ponderando cuidadosamente cuáles tenía que compartir con el Consejo y cuáles podía resolver solo. Cuando terminó, el día brillaba ya y apagó la luz.

A continuación mandó que pasara la primera visita: la madre de la paciente que intentó el suicidio.

—Soy la madre de Veronika. ¿Cuál es el estado de mi hija?

El doctor Igor reflexionó si debía decir la verdad y ahorrar a la mujer sorpresas inútiles (coincidía que él tenía una hija del mismo nombre); decidió que era preferible callarse.

—Aún no sabemos —mintió—. Necesitamos una semana más.

—No sé por qué Veronika hizo esto —decía la mujer que tenía delante, en llanto—. Nosotros somos padres cariñosos y tratamos de darle, a costa de mucho sacrificio, la mejor educación posible. Aunque tuviéramos nuestros problemas conyugales, mantuvimos unida la familia, como ejemplo de perseverancia ante las adversidades. Ella tiene un buen trabajo, no es fea, y aun así...

—...y aun así trató de matarse —interrumpió el doctor Igor—. No se sorprenda, señora: así ocurre; las personas son incapaces de entender la felicidad. Si desea le puedo mostrar las estadísticas de Canadá.

—¿Canadá?

La mujer miró con sorpresa. El doctor Igor vio que había conseguido distraerla y prosiguió:

—Mire, señora, usted ha venido aquí no para saber cómo va su hija, sino para exculparse del hecho de que ella intentara suicidarse. ¿Cuántos años tiene su hija?

—Veinticuatro.

—O sea, es una mujer madura, que ha vivido, que ya sabe lo que desea y es capaz de elegir. ¿Qué tiene que ver eso con el matrimonio de ustedes o con el sacrificio que ambos hicieron? ¿Cuánto tiempo hace que ella vive sola?

—Seis años.

—¿Lo ve? Es independiente hasta el fondo de su alma. Mas porque un médico austriaco (el doctor Sigmund Freud; estoy seguro de que usted ya habrá oído hablar de él) escribió sobre estas relaciones enfermizas entre padres e hijos, todo el mundo hoy se culpa de todo. ¿Creen los indios que el hijo que se vuelve criminal es víctima de la educación de sus padres? Responda.

—No tengo la menor idea —respondió la mujer, cada vez más sorprendida con el médico. Tal vez había sido contagiado por sus pacientes.

—Pues voy a decirle la respuesta —prosiguió el doctor—. Los indios creen que el asesino es el culpable y no la sociedad, ni sus padres, ni sus antepasados. ¿Los japoneses cometen suicidio porque un hijo se droga y asalta? La respuesta también es la misma: ¡No! Y mire que, según me consta, los japoneses cometen suicidio por cualquier motivo. El otro día, precisamente, leí la noticia de que un joven se mató porque no había aprobado el examen de ingreso a la universidad.

—¿Me permite hablar con mi hija? —preguntó la mujer, que no estaba interesada en japoneses, indios o canadienses.

—Claro, claro —repuso el doctor Igor, medio irritado por la interrupción—. Pero antes quiero que usted entienda una cosa: salvo algunos casos patológicos graves, las personas enloquecen cuando tratan de huir de la rutina. ¿Me entendió usted?

—Entendí muy bien —contestó—. Y si usted cree que no seré capaz de cuidar de ella, puede quedar tranquilo: nunca traté de cambiar mi vida.

—¡Qué bien! —el doctor Igor mostraba cierto alivio—.

¿Imagina usted un mundo donde, por ejemplo, no nos viéramos obligados a repetir todos los días de nuestras vidas la misma cosa? Si sólo comiéramos, por ejemplo, cuando tuviésemos hambre: ¿cómo se las compondrían las amas de casa y los restaurantes?

«Sería más normal comer cuando tuviéramos hambre», pensó la mujer, mas no dijo nada por miedo a que le prohibiesen hablar con Veronika.

—Sería una confusión muy grande —contestó—. Yo soy ama de casa y sé de qué está hablando.

—Así, desayunamos, comemos, cenamos. Nos levantamos a determinada hora todos los días y descansamos una vez por semana. Existe la Navidad para hacer regalos y la Pascua de Resurrección para pasar tres días en el lago. ¿Le parecería bien que su marido, sólo por un súbito impulso de pasión, quisiera hacer el amor en la sala?

«¡Qué cosas se le ocurren a este señor! ¡Yo vine aquí a ver a mi hija!»

—Me molestaría —respondió ella, con todo cuidado, esperando haber acertado.

—Muy bien —gritó el doctor Igor—. El lugar para hacer el amor es la cama. De lo contrario estaríamos dando mal ejemplo y fomentando la anarquía.

—¿Puedo ver a mi hija? —interrumpió la mujer.

El doctor Igor se resignó. Aquella campesina nunca entendería lo que le estaba diciendo; no estaba interesada en discutir la locura desde el punto de vista filosófico, aun sabiendo que su hija había tratado de suicidarse en serio y había entrado en coma.

Sonó una campanilla y apareció su secretaria.

—Mande llamar a la joven del suicidio —dijo—. La de la carta a los periódicos en la que se decía que se mataba para mostrar dónde se encontraba Eslovenia.

—¡No quiero verla! ¡Yo ya corté mis lazos con el mundo!

Era difícil decir eso allí en la sala de estar, en presencia de todo el mundo. Pero el enfermero tampoco había sido discreto y había anunciado en voz alta que su madre la aguardaba, como si fuera un asunto que interesara a todos.

No quería ver a su madre, porque ambas iban a sufrir. Era mejor que ya la considerara muerta. A Veronika nunca le habían gustado las despedidas.

El hombre desapareció por donde había venido y ella continuó mirando las montañas. Al cabo de una semana, el sol por fin había vuelto a lucir. Ella ya lo sabía porque la noche anterior la luna se lo había dicho mientras ella tocaba el piano.

«No; esto es locura. Estoy perdiendo el control. Los astros no hablan, salvo para quienes se dicen astrólogos. Si la luna conversó con alguien fue con aquel esquizofrénico.»

Acababa de pensar esto cuando sintió una punzada en el pecho y un brazo se le durmió. Veronika vio cómo daba vueltas el techo: ¡un ataque cardiaco!

Entró en una especie de euforia, como si la muerte la liberase del miedo de morir. ¡Pronto habría acabado todo! Quizá sin-

tiera algún dolor, pero ¿qué eran cinco minutos de agonía, a cambio de una eternidad en silencio? La única resolución que tomó fue cerrar los ojos. Lo que más le horrorizaba era ver, en las películas, a los muertos con los ojos abiertos.

Pero el ataque de corazón parecía diferente a como se lo había imaginado. La respiración se le dificultó y, horrorizada, Veronika se dio cuenta de que estaba a punto de experimentar el peor de sus miedos: la asfixia. Iba a morir como si la enterraran viva o como, si de repente, la empujaran al fondo del mar.

Tambaleóse, cayó, sintió un golpe fuerte en el rostro y continuó haciendo un esfuerzo gigantesco para respirar, pero el aire no le entraba. Lo peor de todo era que la muerte no llegaba. Ella estaba enteramente consciente de lo que pasaba en derredor, continuaba viendo los colores y las formas. Sólo tenía dificultad en escuchar lo que los demás decían: los gritos y las exclamaciones parecían distantes, como llegados de otro mundo. Salvo esto, todo lo demás era real; pero el aire no llegaba, no obedecía simplemente los mandatos de sus pulmones y músculos y la conciencia no se le salía.

Sintió que alguien la tomaba y la colocaba boca arriba; pero ahora había perdido el control del movimiento de los ojos y empezaron a girar, enviando centenares de imágenes diferentes a su cerebro, mezclando la sensación de asfixia con una completa confusión visual.

Al poco, las imágenes también se volvieron distantes y cuando la agonía alcanzó su punto máximo, el aire por fin penetró, con un ruido tremendo que hizo que todos en la sala quedaran paralizados de miedo.

Veronika comenzó a vomitar sin control. Pasado el momento de la casi tragedia, algunos locos comenzaron a reír de la escena y ella se sentía humillada, perdida, incapaz de reaccionar.

Un enfermero entró corriendo y le aplicó una inyección en el brazo.

—Tranquilícese. Ya pasó.

—Casi me muero —comenzó a gritar, avanzando en dirección de los enfermos, ensuciando el piso y los muebles con su vómito—. ¡Continúo en esta basura de manicomio, obligada a convivir con ustedes, viviendo mil muertes cada día y cada noche, sin que nadie tenga misericordia de mí!

Se volteó hacia el enfermero, le quitó la jeringa de la mano y la arrojó en dirección al jardín.

—¿Qué quiere usted? ¿Por qué no me inyecta veneno, sabiendo que de todos modos estoy condenada? ¿Dónde están sus sentimientos?

Sin conseguir controlarse, se volvió a sentar en el suelo y comenzó a llorar compulsivamente, gritando, sollozando alto, mientras que algunos de los internos reían y comentaban sobre su ropa toda sucia.

—¡Déle un calmante! —ordenó una médica, entrando de prisa—. ¡Controle esta situación!

El enfermero, sin embargo, estaba paralizado. La médica volvió a salir y regresó con dos enfermeros más y una nueva jeringa. Los hombres asieron a aquella criatura histérica que se debatía en medio de la sala, mientras la médica le aplicaba hasta la última gota de calmante en la vena de un brazo inmundo.

Estaba en el despacho del doctor Igor, acostada en una cama inmaculadamente blanca, con sábana nueva.

Él le auscultaba el corazón. Ella fingió que aún dormía, pero algo dentro de su pecho había cambiado, porque el médico habló con la certeza de que estaba siendo oído.

—Tranquilícese —dijo—. Con la salud que usted tiene puede vivir cien años.

Veronika abrió los ojos. Alguien le había cambiado la ropa. ¿Había sido el doctor Igor? ¿La había visto desnuda? La cabeza no le funcionaba bien.

—¿Qué dice, doctor?

—Dije que se tranquilice.

—No. Usted dijo que iba a vivir cien años.

El médico se dirigió a su escritorio.

—Usted dijo que iba a vivir cien años —insistió Veronika.

—En medicina nada hay definitivo —disimuló el doctor Igor—. Todo es posible.

—¿Cómo está mi corazón?

—Igual.

Entonces no necesitaba nada. Los médicos, ante un caso grave, dicen «usted vivirá cien años» o «no tiene nada serio» o «us-

ted tiene un corazón y una presión como un niño» o incluso «necesitamos hacer análisis». Parece que temen que el paciente vaya a destrozar el despacho.

Trató de levantarse, sin conseguirlo: toda la habitación comenzó a girar.

—Quédese así un poco más, hasta que se sienta mejor. No es ninguna molestia.

«¡Qué bien! —pensó Veronika—. Pero, ¿y si fuera una molestia?»

Como experimentado médico que era, el doctor Igor permaneció en silencio algún tiempo, fingiendo estar viendo los papeles que tenía sobre la mesa. Cuando estamos delante de otra persona y ésta no dice nada, la situación se torna irritante, tensa, insoportable. El doctor Igor aguardaba a que la joven comenzara a hablar y así él pudiese recoger más datos para su tesis sobre la locura y el método de curación que estaba desarrollando.

Pero Veronika no dijo esta boca es mía. «Quizá ya está en un grado de envenenamiento muy grande por el Vitriolo», pensó el doctor Igor, mientras decidía romper el silencio, que se estaba volviendo tenso, irritante, insoportable.

—Parece que le gusta tocar el piano —dijo él, procurando ser lo más casual posible.

—Y a los locos les gusta escuchar. Ayer uno se quedó allí pegado, escuchando.

—Eduard. Le comentó a alguien que había quedado fascinado. Ha vuelto a comer como una persona normal.

—¿A un esquizofrénico le gusta la música y lo comenta además con otros?

—Sí. Y estoy seguro de que usted no tiene la menor idea de lo que está diciendo.

Aquel médico, que más parecía uno de los pacientes, con los cabellos teñidos de negro, tenía razón. Veronika había escuchado la palabra muchas veces, pero no tenía idea de lo que significaba.

—¿Tiene remedio? —quiso saber, tratando de ver si conseguía más información sobre los esquizofrénicos.

—Se puede controlar. Aún no se sabe bien qué ocurre en el mundo de la locura: todo es nuevo y los procedimientos cambian cada década. Un esquizofrénico es una persona que tiene ya una tendencia natural a ausentarse de este mundo, hasta que un hecho —grave o superficial, según cada caso— hace que cree una realidad sólo para él. El caso puede evolucionar hasta la ausencia completa, que llamamos catatonía, o puede tener mejorías, que le permiten al paciente trabajar y llevar una vida prácticamente normal. Depende de una sola cosa: el ambiente.

—Crear una realidad sólo para él —repitió Veronika—. ¿Qué es la realidad?

—Es lo que la mayoría creyó que debía ser. No necesariamente lo mejor, ni lo más lógico, sino lo que se adaptó al deseo colectivo. ¿Ve usted qué llevo en el cuello?

—Una corbata.

—Muy bien. Su respuesta es lógica, coherente con una persona absolutamente normal: ¡una corbata!

»Un loco, sin embargo, diría que tengo en el cuello una tela

de color, ridícula, inútil, atada de una manera complicada, que dificulta los movimientos de la cabeza y exige un esfuerzo mayor para que el aire entre en los pulmones. Si me distraigo estando cerca de un ventilador, puedo morir estrangulado por este trapo.

»Si un loco me pregunta para qué sirve una corbata, le tendría que contestar: absolutamente para nada. Ni siquiera como adorno, porque hoy en día se ha convertido en símbolo de esclavitud, poder, distanciamiento. La única utilidad de la corbata consiste en llegar a casa y quitársela, para tener la sensación de que estamos libres de algo que ni sabemos qué es.

»¿Pero la sensación de alivio justifica la existencia de la corbata? No. Mas si le pregunto a un loco y a una persona normal qué es esto, será considerado sano quien diga: una corbata. No importa quién acierta; importa quién tiene razón.

—Por lo que usted ha tenido que concluir que no estoy loca, pues di el nombre correcto a la tela de color.

«No, usted no está loca», pensó el doctor Igor, una autoridad en el asunto, con varios diplomas que colgaban de la pared del despacho. Atentar contra la propia vida era propio del ser humano; conocía a mucha gente que lo hacía y de todos modos continuaba allá afuera, aparentando inocencia y normalidad, sólo porque no habían escogido el escandaloso método del suicidio. Al poco tiempo se mataban, envenenándose con lo que el doctor Igor llamaba Vitriolo.

El Vitriolo era un producto tóxico cuyos síntomas había identificado en sus conversaciones con los hombres y mujeres que

conocía. Ahora estaba escribiendo una tesis sobre el particular que presentaría ante la Academia de Ciencias de Eslovenia para su estudio. Era el paso más importante en el terreno de la demencia, desde que el doctor Pinel ordenó quitar las correas que aprisionaban a los enfermos, aterrando al mundo de la medicina con la idea de que algunos de ellos tenían posibilidad de cura.

Algo así como la libido —una reacción química causante del deseo sexual que adivinó el doctor Freud, pero que ningún laboratorio ha sido jamás capaz de aislar—, el Vitriolo es destilado por los organismos de los seres humanos que se encuentran en situación de miedo, por más que todavía no aparezca en los tests modernos de espectrografía. Pero se le reconocía fácilmente por su sabor, que no era ni dulce ni salado: el sabor amargo. El doctor Igor, descubridor aún no reconocido de este veneno mortal, lo había bautizado con el nombre de un veneno muy utilizado en el pasado por emperadores, reyes y amantes de toda laya, cuando deseaban apartar definitivamente a alguna persona incómoda.

Buenos tiempos aquellos, de emperadores y reyes: en aquella época se vivía y moría con romanticismo. El asesino convidaba a la víctima a un opíparo banquete, el sirviente entraba con dos bellas tazas, una de ellas con Vitriolo mezclado en la bebida: ¡cuánta emoción suscitaban los ademanes de la víctima, que tomaba la taza, decía palabras suaves o agresivas, bebía como si fuera una bebida sabrosa, miraba con sorpresa al anfitrión y caía fulminado en el suelo!

Pero ese veneno, hoy caro y difícil de encontrar en el mercado, ha sido sustituido por procedimientos más seguros de exterminio, como revólveres, bacterias, etc. El doctor Igor, románti-

co por naturaleza, había rescatado el nombre, casi olvidado, para bautizar la enfermedad anímica que había conseguido diagnosticar y cuyo descubrimiento en breve pasmaría al mundo.

Era curioso que nadie nunca se hubiera referido al Vitriolo como un tóxico mortal, por más que la mayoría de las personas afectadas identificase su sabor y se refiriera al proceso de envenenamiento como *Amargura*. Todos los seres tenían Amargura en el organismo, en mayor o menor grado, igual como casi todos tenemos el bacilo de la tuberculosis. Pero estas dos enfermedades atacan cuando el paciente se halla debilitado. En el caso de la Amargura, el mal aparece cuando se produce el miedo a la llamada «realidad».

Algunas personas, en el afán de construir un mundo donde no pueda penetrar ninguna amenaza externa, aumentan exageradamente sus defensas contra el exterior —gente extraña, nuevos lugares, experiencias diferentes— y dejan su interior desguarnecido. Es a partir de ahí que la Amargura comienza a causar daños irreversibles.

La gran diana a la que apunta la Amargura (o Vitriolo, como prefería el doctor Igor) es la voluntad. Las personas afectadas de este mal van perdiendo el deseo de todo y en pocos años no consiguen salir de su mundo, pues gastan enormes reservas de energía levantando altas murallas para que la realidad sea lo que desean que sea.

Al evitar los ataques externos, limitan asimismo el crecimiento interno. Continúan yendo al trabajo, ven la televisión, se quejan del tráfico y tienen hijos, pero todo esto acontece automáticamente y sin ninguna gran emoción interior, porque al cabo todo está bajo control.

El gran problema del envenenamiento por Amargura es que las pasiones —odio, amor, desesperación, entusiasmo, curiosidad— también dejan de manifestarse. Después de algún tiempo, al «amargado» no le queda deseo alguno. No tiene voluntad ni de vivir, ni de morir. Éste es el problema.

Por eso, para los «amargados», los héroes y los locos son siempre fascinantes: no tienen miedo ni de vivir ni de morir. Tanto los héroes como los locos se muestran indiferentes ante el peligro y siguen adelante, a pesar de que todos les insten a que no hagan aquello. El loco se suicida; el héroe se ofrece al martirio en nombre de una causa, pero ambos mueren. Y los «amargados» pasan muchas noches y días comentando el absurdo y la gloria de ambos tipos. Es el único momento en que el «amargado» cobra fuerzas para trepar por su muralla de defensa y ver un poquito para afuera, pero pronto se le cansan manos y pies y vuelve a la vida diaria.

El «amargado crónico» sólo advierte su dolencia una vez por semana: las tardes de los domingos. Como no tiene el trabajo o la rutina para aliviar los síntomas, percibe que algo anda muy mal, pues la paz de esas tardes es infernal, el tiempo no acaba de pasar y una constante irritación se manifiesta libremente.

Pero llega el lunes y el «amargado» de inmediato olvida sus síntomas y hasta echa pestes porque nunca tiene tiempo de descansar, quejándose de que los fines de semana pasan muy rápido.

La única gran ventaja del mal, desde el punto de vista social, es que se transforma en una regla y, por ende, la interiorización ya no se vuelve necesaria, salvo en los casos en que la intoxicación es tan fuerte que el comportamiento del enfermo comienza a afectar a los demás. Pero la mayoría de los «amargados» puede continuar afuera, sin constituir una amenaza para la sociedad o para los demás, ya que —merced a las altas murallas construidas en derredor de sí mismos— están por completo aislados del mundo, por más que parezca que participan de él.

El doctor Sigmund Freud descubrió la libido y la cura de los problemas causados por ella: el psicoanálisis. Además de descubrir la existencia del Vitriolo, el doctor Igor necesitaba curar, que también en este caso la cura es posible. Quería dejar su nombre en la historia de la medicina, aunque no se engañaba en cuanto a las dificultades a que debería enfrentarse para imponer sus ideas, ya que los «normales» están contentos con sus vidas y jamás admitirían su mal, mientras que los «enfermos» generaban una gigantesca industria de manicomios, laboratorios, congresos, etcétera.

«Sé que el mundo no reconocerá ahora mi esfuerzo», se dijo a sí mismo, ufano de ser incomprendido. A la postre, éste era el precio que los genios tenían que pagar.

—¿Qué le ocurre, doctor? —le preguntó la muchacha que tenía delante—. Parece que ha entrado en el mundo de sus pacientes.

El doctor Igor ignoró el comentario irrespetuoso.

—Ya se puede ir —le contestó.

Veronika no sabía si era de día o de noche (el doctor Igor tenía la luz prendida, pero así era todas las mañanas). Mientras, al llegar al corredor, vio la luna y se dio cuenta de que había dormido más tiempo del que pensaba.

Camino del dormitorio reparó en una foto enmarcada en la pared: era la plaza principal de Ljubljana, aún sin la estatua del poeta Prešeren, donde aparecían parejas paseando, probablemente en un domingo.

Se fijó en la fecha de la foto: verano de 1910.

El verano de 1910. Allí estaban aquellas personas, cuyos hijos y nietos ya habían muerto, captadas en un momento de sus vidas. Las mujeres llevaban pesados vestidos y los hombres iban todos con sombrero, chaqueta, corbata (o tela coloreada, como la llamaban los locos), polainas y paraguas al brazo.

¿Y el calor? La temperatura debía ser la misma que los veranos de hoy, 35° a la sombra. Si llegara un inglés, con bermudas y en mangas de camisa —vestimenta mucho más apropiada para el calor—, ¿qué habrían pensado esas personas? «Un loco.»

Había entendido perfectamente bien lo que el doctor Igor quería decir. De la misma manera entendía que siempre había te-

nido en su vida mucho amor, cariño, protección, pero le había faltado un elemento para cambiar todo eso en una bendición: tendría que haber sido un poco más loca.

Sus padres continuarían amándola, fuera como fuera, pero ella no se atrevió a pagar el precio de su sueño, por miedo a herirlos. Aquel sueño que estaba enterrado en el fondo de su memoria, aunque de vez en cuando despertara en un concierto, en un bonito disco que escuchara por casualidad. Empero, cada vez que despertaba el sueño, el sentimiento de frustración era tan grande que de inmediato ella lo ponía a dormir de nuevo.

Veronika sabía desde niña cuál era su verdadera vocación: ¡ser pianista!

Lo había sentido desde que recibió la primera clase de piano, a los doce años. Su profesora también había advertido su talento y la incentivó a que se convirtiera en una profesional. Pero cuando —feliz con un concurso que acababa de ganar— le dijo a su madre que quería dejarlo todo para dedicarse sólo al piano, ella la miró con cariño y respondió: «Nadie vive de tocar el piano, amor mío».

—¡Pero me hiciste recibir lecciones!

—Para desarrollar tu talento artístico; sólo por eso. Los maridos lo aprecian y puedes destacar en las fiestas. Olvida eso de ser pianista y estudia abogacía: ésa es la profesión del futuro.

Veronika hizo lo que su madre le pidió, segura de que tenía la experiencia suficiente para *entender la realidad*. Obedeció y concluyó sus estudios, entró en la facultad, salió de la facultad con un título y notas altas, pero sólo consiguió el empleo en la biblioteca.

«Tendría que haber sido más loca.» Pero, como tenía que suceder con la mayoría de las personas, eso lo descubriría más tarde.

Se había volteado para seguir su camino, cuando alguien la tomó del brazo. El poderoso calmante que le habían suministrado aún corría por sus venas, por eso no reaccionó cuando Eduard, el esquizofrénico, delicadamente la condujo en otra dirección, hacia la sala de estar.

La luna continuaba en cuarto creciente y Veronika se había sentado al piano —a pedido silencioso de Eduard— cuando escuchó una voz que venía del refectorio. Era alguien que hablaba con acento extranjero y Veronika no recordaba haber escuchado aquel acento en Villete.

—No quiero tocar el piano ahora, Eduard. Quiero saber qué pasa en el mundo y qué están hablando aquí junto, quién es ese hombre.

Eduard sonreía, quizá sin entender ni una palabra de lo que le estaba diciendo. Pero ella se acordó del doctor Igor: los esquizofrénicos podían entrar y salir de sus separadas realidades.

—Yo voy a morir —continuó, con la esperanza de que sus palabras fueran comprendidas—. La muerte ya rozó hoy mi cara con sus alas y tocará a mi puerta mañana o después. No tienes que acostumbrarte a oír el piano toda las noches.

»Nadie se tiene que acostumbrar a nada, Eduard. Mira: yo estaba disfrutando de nuevo del sol, de las montañas, de los problemas y hasta estaba aceptando que la falta de sentido de la vida

no era culpa de nadie, salvo mía. Quería volver a ver la plaza de Ljubljana, sentir odio y amor, desesperación y tedio, todas esas cosas simples y tontas que forman parte de lo cotidiano, pero que dan gusto a la existencia. Si algún día llegara a salir de aquí, me permitiría ser loca, porque todo el mundo lo está y aun son peores aquellos que no saben que lo están, porque no hacen más que repetir lo que los otros ordenan.

»Pero nada de esto es posible, ¿entiendes? Por lo mismo, no tienes que pasarte el día esperando que llegue la noche y que una de las internas toque el piano, porque esto pronto acabará. Mi mundo y el tuyo se están acabando.

Se levantó, tocó cariñosamente la cara del muchacho y se dirigió al refectorio.

Al abrir la puerta se encontró con una escena insólita: mesas y sillas habían sido arrimadas a la pared, dejando un gran espacio vacío en el centro. Allí, sentados en el suelo, estaban los miembros de la Fraternidad, escuchando a un hombre de traje y corbata.

—... entonces invitaron al gran maestro de la tradición sufí, Nasrudin, para que diera una conferencia —decía.

Cuando se abrió la puerta, todos miraron a Veronika y también se volteó hacia ella el hombre del traje.

—Siéntese.

Ella se sentó en el suelo, junto a la señora de canas, Mari, que tan agresiva fue en el primer encuentro. Para su sorpresa, Mari le dirigió una sonrisa de bienvenida.

El hombre del traje prosiguió:

—Nasrudin fijó la charla para las dos de la tarde y fue un éxito: los mil lugares fueron vendidos y afuera se quedaron más de 600 personas siguiendo la plática por un circuito cerrado de televisión.

»A las dos en punto entró un asistente de Nasrudin y comunicó que por motivos de fuerza mayor, la conferencia se retrasaría. Algunos se levantaron indignados, pidieron la devolución del dinero y se fueron. De todas formas, continuó mucha gente dentro de la sala.

»A las cuatro, el maestro sufí aún no había aparecido y la gente, poco a poco, fue dejando el local y recogiendo su dinero. Al fin y al cabo, la jornada laboral estaba terminando y era hora de regresar a casa. A las seis, de los más de 1600 espectadores de un principio quedaban menos de cien.

»En ese momento entró Nasrudin. Parecía totalmente bebido y comenzó a dirigirle piropos a una bella joven sentada en la primera fila.

»Pasada la sorpresa, el público se indignó: ¿cómo después de esperar cuatro horas el hombre se comportaba de aquella manera? Se empezaron a oír murmullos de desaprobación, pero el maestro sufí no les dio ninguna importancia y continuó diciendo a gritos que la muchacha era sexy y la invitó a viajar con él a Francia.

«¡Qué maestro! —pensó Veronika—. ¡Menos mal que nunca he creído en estas cosas!»

»Después de lanzar algunas palabrotas contra las personas que protestaban, Nasrudin trató de levantase y cayó pesadamente en el suelo. Furiosa, la gente se empezó a marchar, diciendo que

todo aquello no era más que charlatanería y que irían a los periódicos a denunciar aquel degradante espectáculo.

»En la sala quedaron nueve personas. Y en cuanto el grupo de gente indignada dejó el recinto, Nasrudin se levantó. Estaba sobrio, sus ojos irradiaban luz y en torno a él había un aura de respetabilidad y sabiduría. "Ustedes que están aquí son los que me han de escuchar —dijo—. Han pasado por las dos pruebas más duras del camino espiritual: la paciencia de esperar el momento oportuno y el valor de no decepcionarse con lo que encontraron. A ustedes les voy a enseñar."

»Y Nasrudin les mostró algunas técnicas sufíes.

El hombre hizo una pausa y sacó del bolsillo una extraña flauta.

—Descansemos ahora un poco y luego haremos la meditación.

El grupo se puso de pie. Veronika no sabía qué hacer.

—Levántese también —dijo Mari, tomándola de la mano—. Tenemos cinco minutos de recreo.

—Me voy afuera. No quiero molestar.

Mari se la llevó a un rincón.

—¿Será que usted no ha aprendido nada, ni siquiera con la cercanía de la muerte? ¡Deje de estar pensando todo el tiempo que está causando molestias, que está estorbando al prójimo! ¡Si los demás no están conformes, protestarán, y si no tienen el valor de protestar, es su problema!

—El día que me acerqué a ustedes estaba haciendo algo que nunca me había atrevido a hacer antes.

—Y se dejó acobardar con una mera broma de locos. ¿Por qué no continuó adelante? ¿Qué tenía que perder?

—Mi dignidad. Estar donde no soy bienvenida.

—¿Qué es la dignidad? ¿Es querer que todo el mundo crea que usted es buena, tranquila, llena de amor al prójimo? Respete la naturaleza: vea más películas de animales y fíjese cómo luchan por su espacio. A todos nos gustó que usted diera aquella bofetada.

Veronika no tenía ya tiempo de luchar por un espacio y cambió el tema. Preguntó quién era aquel hombre.

—Está usted mejorando —rió Mari—. Haga preguntas sin que piense que la van a considerar indiscreta. Este hombre es un maestro sufí.

—¿Qué quiere decir *sufí*?

—Lana.

Veronika no entendió. ¿Lana?

—El sufismo es una tradición espiritual de los derviches, donde los maestros no tratan de manifestar sabiduría y los discípulos danzan, giran y entran en trance.

—¿Para qué sirve eso?

—No sé bien, pero en nuestro grupo decidimos vivir todas las experiencias prohibidas. Durante toda mi vida, el gobierno nos educó diciendo que la búsqueda espiritual sólo servía para apartar al hombre de sus problemas reales. Ahora respóndame lo siguiente: ¿no cree que tratar de entender la vida es un problema real?

Sí, era un problema real. Además, ya no tenía certeza de lo que quería decir la palabra *realidad*.

El hombre del traje —el maestro sufí, según Mari— pidió que todos se sentaran en círculo. Sacó todas las flores de uno de

los jarrones del refectorio, salvo una rosa roja, y lo colocó en el centro del grupo.

—Mire lo que logramos —dijo Veronika a Mari—. Algún loco pensó que era posible criar flores en invierno y hoy tenemos rosas todo el año en Europa. ¿Cree usted que un maestro sufí, con todo su conocimiento, es capaz de algo así?

Mari creyó adivinar su pensamiento.

—Deje las críticas para después.

—Trataré. Porque todo lo que tengo es el presente, por cierto, muy corto.

—Es todo lo que todo el mundo tiene y es siempre muy corto, aunque algunos creen que tienen un pasado donde acumulan cosas y un futuro donde acumularán aún más. De paso, y hablando en tiempo presente: ¿usted ya se ha masturbado mucho?

Aunque el calmante aún estuviera haciendo efecto, Veronika se acordó de la primera frase que escuchó en Villete.

—Cuando llegué a Villete, aún llena de tubos de respiración artificial, escuché claramente que alguien me preguntaba si quería que me masturbasen. ¿Qué es eso? ¿Por qué viven pensando en estas cosas aquí?

—Aquí y allí afuera. Sólo que en nuestro caso no necesitamos esconderlo.

—¿Fue usted quien me preguntó?

—No. Pero creo que debería saber hasta dónde puede llegar su placer. La próxima vez, con un poco de paciencia, podrá llevar a su compañero hasta allí, en vez de ser guiada por él. Aunque sólo le quedaran dos días de vida, creo que no debe partir de aquí sin saber hasta dónde podría haber llegado.

—Sólo si fuera con el esquizofrénico que me está esperando para escuchar el piano.

—Por lo menos es un hombre guapo.

El hombre del traje pidió silencio, con lo que interrumpió la conversación. Ordenó que todos se concentrasen en la rosa y vaciasen sus mentes.

—Los pensamientos van a regresar, pero procuren evitarlos. Tienen dos opciones: dominar la mente o ser dominados por ella. Ya han vivido esta segunda alternativa, dejándose llevar por los miedos, las neurosis y la inseguridad, porque el hombre tiene esta tendencia a la autodestrucción.

»No confundan la locura con la pérdida del control. Recuerden que en la tradición sufí al principal maestro, Nasrudin, todos lo tratan de loco. Y precisamente porque su ciudad lo considera demente, Nasrudin tiene la posibilidad de decir todo lo que piensa y hacer lo que le viene en gana. Así ocurría con los bufones de la corte en la época medieval. Podían alertar al rey sobre los peligros que los ministros no se atrevían a comentar por temor a perder sus cargos.

»Así tiene que ocurrir con ustedes: manténganse locos, pero comportándose como personas normales. Corran el riesgo de ser diferentes, pero aprendan a hacerlo sin llamar la atención. Concéntrense en esta flor y dejen que el verdadero Yo se manifieste.

—¿Qué es el verdadero Yo? —interrumpió Veronika. Tal vez todos lo supieran, pero no importaba: ella tenía que preocuparse menos con el asunto de molestar a los demás.

El hombre pareció sorprendido con la interrupción, pero respondió:

—Es lo que usted es; no lo que han hecho de usted.

Veronika decidió hacer el ejercicio, empeñándose lo más que pudo en descubrir quién era. Esos días en Villete había sentido cosas que nunca había experimentado con tanta intensidad: odio, amor, deseo de vivir, miedo, curiosidad. A lo mejor Mari tenía razón: ¿había conocido incluso el orgasmo? ¿O sólo había llegado hasta donde los hombres la querían llevar?

El señor del traje comenzó a tocar la flauta. Al poco tiempo, la música fue calmando el alma de Veronika y consiguió concentrarse en la rosa. Podía ser efecto del calmante, pero el hecho es que desde que salió del despacho del doctor Igor se sentía muy bien.

Sabía que iba a morir pronto: ¿para qué sentir miedo? De nada le serviría ni le evitaría el ataque cardiaco fatídico. Lo mejor era aprovechar los días o las horas que le quedaban haciendo lo que nunca había hecho.

La música le llegaba suave y la luz mate del refectorio creaba una atmósfera casi religiosa. Religión: ¿por qué no trataba de zambullirse en su interior y ver lo que le quedaba de sus creencias y su fe?

Porque la música la llevaba de un lado para otro: vaciar la cabeza, dejar de pensar en todo y sólo SER. Veronika se entregó, contempló la rosa, vio quién era, le gustó y se sintió apesadumbrada por haber sido tan precipitada.

Cuando la meditación concluyó y el maestro sufí partió, Mari se quedó un poco en el refectorio conversando con la Fraternidad. La muchacha se quejó de cansancio y en seguida se marchó. En realidad, el calmante que había tomado aquella mañana era lo bastante fuerte para hacer dormir a un toro, y con todo había sacado fuerzas para permanecer despierta hasta aquella hora.

«La juventud es así: establece sus propios límites sin preguntar si el cuerpo aguanta.»

Mari no tenía sueño. Había dormido hasta tarde y luego decidió dar un paseo por Ljubljana. El doctor Igor exigía que los miembros de la Fraternidad salieran de Villete una vez al día. Había ido al cine y se había vuelto a dormir en la butaca. Era una película aburridísima sobre conflictos entre marido y mujer. ¿Sería que no había otro tema? ¿Por qué estar repitiendo siempre las mismas historias: el marido con la amante, el marido con la mujer y el hijo enfermo, el marido con la mujer, amante e hijo enfermo? Había cosas más importantes en el mundo que contar.

La conversación en el refectorio había durado poco. La meditación había relajado al grupo y todos habían resuelto irse a los dormitorios, menos Mari, que salió a dar un paseo por el jardín. De camino pasó por la sala de estar y vio que la muchacha no había ido aún a su dormitorio: estaba tocando para Eduard, el esquizofrénico, que quizá se había quedado esperando todo ese tiempo junto al piano. Los locos, como los niños, no quitaban el dedo del renglón hasta ver sus deseos satisfechos.

El aire era helado. Mari regresó, tomó un abrigo y volvió a salir. Allá afuera, lejos de los ojos de todos, encendió un cigarro. Fumó sin culpa y sin prisa, reflexionando sobre la chica, el piano que había escuchado y la vida del otro lado de las paredes de Villete, que se estaba volviendo insoportablemente difícil para todo el mundo.

En opinión de Mari, esa dificultad no se debía al caos o a la desorganización o a la anarquía y sí al exceso de orden. La sociedad tenía cada vez más reglas —y leyes para contravenir las reglas— y nuevas reglas para contrariar las leyes; eso hacía que las personas quedaran desconcertadas y no daban un paso fuera del reglamento invisible que guiaba la vida de todos.

Mari conocía el paño: había pasado cuarenta años de su vida trabajando de abogada hasta que su enfermedad la trajo a Villete. En seguida de comenzar su carrera perdió rápidamente la visión ingenua de la Justicia y entendió que las leyes no habían sido hechas para resolver problemas, sino para prolongar indefinidamente un pleito.

¡Lástima que Alá, Jehová, Dios —no importa el nombre que le den— no hubiera vivido en el mundo de hoy!, porque si así hubiera sido, todos estaríamos aún en el Paraíso Terrenal, porque Él estaría aún respondiendo recursos, apelaciones, sumarios, suplicatorias, amparos, iniciativas, y tendría que explicar en innumerables audiencias su decisión de expulsar a Adán y Eva del jardín del Edén... por haber sólo transgredido una ley arbitraria, sin ningún fundamento jurídico: no comer del fruto del Bien y del Mal.

Si no quería que hubiera ocurrido esto, ¿por qué plantó tal árbol en medio del jardín y no allende las paredes del Paraíso? Si hubiera sido llamada para defender a la pareja, Mari seguramente habría acusado a Dios de «omisión administrativa», porque además de colocar el árbol donde no debía, no le puso carteles de prevención, barreras, dejando de adoptar los mínimos requisitos de seguridad y exponiendo a todos los que pasaran al peligro.

Mari también podría haberlo acusado de «inducción al delito»: llamó la atención de Adán y Eva para el lugar exacto donde se encontraba. Si nada hubiera dicho, habrían pasado generaciones y más generaciones por esta Tierra sin que nadie se hubiera interesado por el fruto prohibido, ya que estaría en un bosque lleno de árboles iguales y, por tanto, sin ningún valor específico.

Pero Dios no actuó así. Por el contrario, escribió la ley y halló el modo de convencer a alguien de que la transgrediese sólo para poder inventar el Castigo. Sabía que Adán y Eva acabarían aburridos de tanta cosa perfecta y, tarde o temprano, irían a probar Su paciencia. Allí estuvo aguardando, porque quizá también Él, Dios Todopoderoso, estaba fastidiado de que las cosas marcharan perfectamente: si Eva no hubiera comido la manzana, ¿qué de interesante habría acaecido en estos billones de años?

Nada.

Cuando fue violada la ley, Dios —el Juez Todopoderoso— simuló incluso una persecución, como si no conociera todos los escondrijos posibles. Con los ángeles mirando y divirtiéndose con la chanza (la vida para ellos también tenía que ser muy aburrida desde que Lucifer dejara el Cielo), Él comenzó a caminar. Mari imaginaba cómo ese pasaje de la Biblia podría dar pie a una buena escena de película de suspenso: los pasos de Dios, las miradas asustadas que la pareja intercambiaba, los pies que de golpe se detenían junto al escondrijo.

—*¿Dónde estás?* —pregunta Dios.

—*Oí tus pasos por el jardín, tuve miedo y me escondí, porque estoy desnudo* —repuso Adán, sin saber que, con esa afirmación, se declaraba reo confeso de un crimen.

Rápido, mediante un simple subterfugio, consistente en fingir que no sabía dónde se encontraba Adán ni el motivo de su fuga, Dios conseguía lo que deseaba. Mas aun así, para no dejar ninguna duda a todo el corro de ángeles que asistía atentamente al episodio, resolvió continuar:

—*¿Cómo sabes que estás desnudo?* —lo interroga Dios, sabiendo que esta pregunta sólo tendría una respuesta posible: *porque comí del árbol que me permite entender esto.*

Con aquella pregunta, Dios mostró a sus ángeles que era justo y estaba condenando a la pareja con base en todas las pruebas existentes. De ahora en adelante, no importaba ya saber si la culpa era de la mujer ni que pidieran perdón. Dios necesitaba un

ejemplo, para que ningún otro ser, terrestre o celeste, tuviera de nuevo el atrevimiento de ir contra Sus decisiones.

Dios expulsó a la pareja y los hijos de ésta terminaron pagando también por el crimen (como ocurre hasta hoy con los hijos de los delincuentes) y el sistema judicial quedó inventado: ley, transgresión de la ley (lógica o absurda, no tenía importancia), juicio (donde el más hábil vencía al ingenuo) y castigo.

Como toda la humanidad había sido condenada sin derecho a revisión de sentencia, los seres humanos habían decidido crear mecanismos de defensa, para la eventualidad de que Dios resolviera de nuevo demostrar Su poder arbitrario. Pero con el transcurso de millones de estudios, los hombres inventaron tantos recursos que terminaron exagerando la dosis y ahora la Justicia era una maraña de cláusulas, jurisprudencias, textos contradictorios que nadie conseguía entender bien.

Tanto es así que cuando Dios cambió de idea y decidió mandar a su Hijo a salvar al mundo, ¿qué sucedió? Cayó en las redes de la Justicia que Él había inventado.

La maraña de leyes terminó fomentando tal confusión que el Hijo acabó clavado en una cruz. No fue un proceso sencillo: de Anás a Caifás, de los sacerdotes a Pilatos, quien alegó no tener leyes suficientes según el Código romano. De Pilatos a Herodes, que, a su vez, alegó que el Código judío no permitía la sentencia de muerte. De Herodes a Pilatos de nuevo, quien aún intentó una escapatoria ofreciendo un arreglo jurídico con el pueblo: lo mandó azotar y lo mostró con las heridas, pero no le funcionó.

Como hacen los modernos fiscales, Pilatos decidió promoverse a costas del condenado, ofreciendo intercambiar a Jesús por Barrabás, sabiendo que la Justicia, a esas alturas, se había convertido ya en un gran espectáculo que exigía un final apoteótico, con la muerte del reo.

Por fin, Pilatos echó mano del artículo que otorgaba al juez —y no a quien estaba siendo juzgado— el beneficio de la duda: se lavó las manos, lo que quiere decir «ni sí, ni no». Era más un artificio para preservar el sistema jurídico romano, sin herir la buena relación con los magistrados locales y aún poder transferir el peso de la decisión al pueblo, en caso de que aquella sentencia acabara creando problemas y haciendo que algún inspector de la capital del Imperio viniera a comprobar personalmente de qué se trataba el asunto.

Justicia, Derecho. Aunque fuera indispensable para ayudar a los inocentes, no siempre funcionaba como a todos les gustaría. Mari estaba contenta de quedar fuera de toda esa confusión, aunque aquella noche, oyendo aquel piano, no estuviera del todo segura de que Villete fuese el lugar indicado para ella.

«Si decido salir de este lugar, nunca más me meto en la Justicia ni voy jamás a convivir con locos que se juzgan normales e importantes, pero cuya única función en la vida es hacer todo más difícil para los demás. Voy a ser costurera, bordadora, voy a vender fruta delante del Teatro Municipal. Ya cumplí con mi parte de locura inútil.»

En Villete estaba permitido fumar, pero estaba prohibido

arrojar el cigarro a la hierba. Disfrutando, hizo lo que estaba prohibido, porque la gran ventaja de estar allí era no respetar reglamentos y, aun así, no tener que cargar con mayores consecuencias.

Se acercó a la puerta de entrada. El celador —siempre había un celador allí, pues tal era la ley— la saludó con un movimiento de cabeza y abrió la puerta.

—No voy a salir —dijo ella.

—Bonita música —intervino el celador—. Ocurre casi todas las noches.

—Pero pronto acabará —dijo, alejándose rápido para no tener que explicar la razón.

Se acordó de lo que había leído en los ojos de la muchacha cuando se asomó al refectorio: miedo.

Miedo. Veronika podía sentir inseguridad, timidez, vergüenza, retraimiento, pero ¿por qué miedo? Ese sentimiento sólo se justifica ante una amenaza concreta, como ante fieras, personas armadas, terremotos, pero no frente a un grupo reunido en un refectorio.

«Pero el ser humano es así —se consoló—. Intercambia gran parte de sus emociones por miedo.»

Y Mari sabía muy bien de qué estaba hablando, porque éste había sido el motivo que la había llevado a Villete: el síndrome del pánico.

Mari tenía en su dormitorio una verdadera colección de artículos sobre la enfermedad. Hoy ya se hablaba abiertamente del tema y hacía poco había visto un programa de televisión alemana en el que algunas personas relataron las experiencias que habían pasado. Según se dijo en ese programa, una investigación había revelado que parte significativa de la población humana sufre el síndrome del pánico, aunque todos los afectados procuraban esconder los síntomas, por temor a pasar por locos.

Pero en la época en que Mari tuvo su primer ataque no se conocía nada de esto. «Fue el infierno, un verdadero infierno», pensó, prendiendo otro cigarro.

El piano continuaba sonando. La chica parecía tener energía suficiente para pasarse la noche en vela.

Desde que aquella joven había entrado en el sanatorio, muchos enfermos habían quedado impresionados y Mari era uno de ellos. En un principio había tratado de evitarla, por temor a despertar su voluntad de vivir: era preferible que continuara deseando la muerte, porque ya no podía escapar. El doctor Igor había dejado correr el rumor de que, aunque se le dieran inyecciones diarias, el estado de la joven se deterioraba a ojos vistas y no conseguiría salvarla de modo alguno.

Los internos habían entendido el recado y se mantenían distanciados de la mujer condenada. Pero, sin que nadie supiera exactamente por qué, Veronika había comenzado a luchar por su vida, aunque sólo dos personas se aproximaban a ella: Zedka, que se iría mañana y no era persona que hablara mucho, y Eduard.

Mari tenía que conversar con Eduard: él siempre la escuchaba con respeto. ¿Sería que el muchacho no entendía que la estaba devolviendo a este mundo, y que eso era la peor cosa que podía hacer con una persona sin esperanza de salvación?

Ponderó mil posibilidades de explicar el asunto, pero todas suponían dejarlo con sentimiento de culpa, y esto no lo haría nunca. Mari reflexionó un poco y resolvió dejar que las cosas siguieran su ritmo normal. Ya no ejercía la abogacía y no quería poner el mal ejemplo de crear nuevas leyes de comportamiento en un lugar donde debía reinar la anarquía.

Pero la presencia de la joven había impresionado a mucha gente allí y algunas personas estaban dispuestas a repensar sus vidas. En uno de los encuentros de la Fraternidad alguien había intentado explicar lo que estaba ocurriendo: los fallecimientos en Villete ocurrían de repente, sin dar tiempo a que alguien pensara al respecto, o al final de una larga enfermedad, cuando la muerte siempre es una bendición.

En el caso de aquella joven, sin embargo, la escena era dramática: porque era joven, deseaba vivir de nuevo y todos sabían que era imposible. Algunas personas se preguntaban: «¿Y si esto me estuviera ocurriendo a mí? Si tengo una oportunidad, ¿la estoy utilizando?».

A algunos no les inquietaba la respuesta. Hacía mucho que habían desistido y formaban parte de un mundo donde no existe ni vida ni muerte, ni espacio ni tiempo. Otros, en cambio, se veían forzados a reflexionar y Mari era una de esas personas.

Veronika dejó de tocar un instante y vio a Mari allá afuera, soportando el frío de la noche con un abrigo ligero. ¿Se querría matar?

«No, quien se quiso matar fui yo.»

Volteóse al piano. En sus últimos días de vida había realizado por fin el gran sueño: tocar con alma y corazón el tiempo que quisiera y con la dificultad que se le antojase. No importaba si su único público era un muchacho esquizofrénico. Él parecía entender la música y eso era lo que contaba.

Mari nunca se quiso matar. Al contrario, hacía cinco años, en el mismo cine adonde hoy había ido, vio una película sobre la miseria de El Salvador y pensaba cuán importante era su vida. En la actualidad, con los hijos ya grandes y encaminados en sus profesiones, había decidido abandonar el aborrecido e interminable trabajo de la abogacía y dedicar el resto de sus días a alguna organización humanitaria. Los rumores de guerra civil en el país crecían a cada momento, pero ella no les hacía caso: era imposible que, cuando estaba por acabar el siglo, la Comunidad Europea fuera a permitir que estallara una guerra ante sus puertas.

Del otro lado del mundo, no obstante, la opción de tragedias era abundante y entre ellas estaba la de El Salvador, con niños que pasaban hambre en las calles y se veían obligados a prostituirse.

—¡Qué horror! —le dijo al marido, sentado en la butaca contigua.

Él asintió con la cabeza.

Mari venía postergando la decisión hacía mucho tiempo, pero quizá había llegado la hora de tratarlo con él. Ya habían tenido todo lo que la vida les podía ofrecer de bueno: casa, trabajo,

buenos hijos, la comodidad necesaria, diversión y cultura. ¿Por qué no hacer ahora algo por el prójimo? Mari tenía contactos en la Cruz Roja y sabía que se requerían desesperadamente voluntarios en muchas partes del mundo.

Estaba harta de lidiar con la burocracia, con los procesos y con la imposibilidad de ayudar a la gente que pasaba años de su vida tratando de resolver problemas que no había causado. Trabajar en la Cruz Roja, además, le daría resultados inmediatos.

Decidió que al salir del cine, lo invitaría a un café y discutiría la idea.

La pantalla mostraba a un funcionario del gobierno salvadoreño dando una excusa sin interés por alguna injusticia y, de golpe, Mari sintió que el corazón se le aceleraba.

Se dijo que no era nada. Quizá el aire sofocante del cine la había estado asfixiando; si el síntoma persistía saldría al vestíbulo a respirar un poco.

Pero, en una sucesión rápida de acontecimientos, el corazón latió más y más fuerte y ella empezó a sudar frío.

Se asustó y trató de concentrarse en la película para sacar de la cabeza todo pensamiento negativo. Pero vio que ya no podía seguir lo que ocurría en la pantalla. Las imágenes continuaban, los letreros eran visibles, pero Mari parecía haber entrado en una realidad del todo distinta, donde todo aquello era extraño, fuera de lugar, perteneciente a un mundo donde nunca antes había estado.

—Me siento mal —le dijo al marido.

Trataba de evitar al máximo este comentario, porque significaba que algo andaba mal. Pero ya no podía postergarlo más.

—Vamos afuera —respondió él.

Cuando tomó la mano de la mujer para ayudarla a levantarse, notó que estaba helada.

—No voy a llegar hasta fuera. Dime, ¿qué me está pasando?

El marido se asustó. El rostro de Mari estaba cubierto de sudor y sus ojos tenían un brillo diferente.

—Cálmate. Voy a ir a llamar un médico.

Ella se desesperó. Las palabras tenían sentido, pero todo el resto —el cine, la penumbra, las personas sentadas a un lado y otro que miraban hacia una pantalla brillante—, todo aquello, parecía amenazante. Tenía la certeza de estar viva, podía incluso tocar la vida que la rodeaba, como si fuera sólida. Nunca antes le había ocurrido algo así.

—No me dejes sola de ninguna manera. Me voy a levantar y saldré contigo. Vamos despacio.

Ambos se disculparon con los espectadores de la misma fila y se dirigieron hacia el fondo de la sala, donde estaba la puerta de salida. El corazón de Mari ahora se había disparado del todo y tenía la certeza, la absoluta certeza, de que nunca conseguiría dejar aquel lugar. Todo lo que hacía, cada movimiento —colocar un pie delante del otro, disculparse, tomar el brazo del marido, inspirar y espirar el aire— parecía consciente y pensado. Era aterrador.

Nunca había sentido tanto miedo en su vida.

«Voy a morir dentro de un cine.»

Y le pareció entender lo que estaba pasando, porque una amiga había muerto en un cine muchos años atrás. Un aneurisma le había estallado en el cerebro.

Los aneurismas cerebrales son como bombas-reloj. Pequeñas várices que se forman en los vasos sanguíneos —como ampollas en neumáticos viejos— que pueden pasar allí toda la vida de una persona sin que nada suceda. Nadie sabe si tiene algún aneurisma, hasta que se le descubre sin querer (por alguna radiografía del cerebro o por otros motivos) o en el momento en que estalla, inundándolo todo de sangre y haciendo que la persona de inmediato entre en coma y, por lo general, en poco tiempo muera.

Mientras caminaba por el pasillo de la sala a oscuras, Mari se acordaba de la amiga que había perdido. Lo más extraño, sin embargo, era cómo la explosión del aneurisma afectaba su percepción: le parecía haber sido transportada a un planeta diferente y todo lo familiar lo veía como si fuera la primera vez.

Y el miedo aterrador, inexplicable, el pánico de estar sola en aquel otro planeta. La muerte.

«No puedo pensar. Tengo que fingir que todo está bien, que todo acabará bien.»

Procuró actuar con naturalidad y durante algunos momentos la sensación de extrañeza disminuyó. Desde el instante en que tuvo el primer síntoma de taquicardia hasta que llegó a la puerta había pasado los dos minutos más aterradores de su vida.

Cuando llegaron al iluminado vestíbulo, sin embargo, le pareció que todo le daba vueltas. Los colores eran fuertes, el ruido de la calle le entraba por todos los lados y las cosas eran absolutamente irreales. Comenzó a reparar en detalles que nunca antes había

notado: la nitidez de la visión, por ejemplo, que apenas cubre una pequeña área donde concentramos los ojos, mientras que el resto queda totalmente fuera de foco.

Fue más lejos todavía: sabía que todo aquello que veía en torno no pasaba de ser una escena creada por impulsos eléctricos de su cerebro, que utilizaban los impulsos de luz que atravesaban un cuerpo gelatinoso llamado «ojo».

No. No podía empezar a pensar en eso. Si se encaminaba por ahí terminaría por completo loca.

A estas alturas, el miedo al aneurisma ya le había pasado: había salido de la sala de proyección y continuaba viva (mientras que su amiga no tuvo tiempo ni de moverse de la butaca).

—Llamaré una ambulancia —dijo el marido, al ver la cara pálida y los labios sin color de su mujer.

—Llama un taxi —suplicó, escuchando el tono que salía de su boca, consciente de la vibración de cada cuerda vocal.

Ir al hospital significaba aceptar que estaba realmente muy mal. Estaba decidida a luchar hasta el último minuto para que las cosas volvieran a ser lo que eran.

Salieron del vestíbulo y el cortante frío pareció surtir algún efecto positivo. Recuperó un poco el control de sí misma, aunque el pánico, el terror inexplicable, continuaba. Mientras el marido, desesperado, trataba de encontrar un taxi a aquella hora de la noche, ella se sentó en el borde de la acera y trató de no mirar lo que tenía en derredor, porque los muchachos que se divertían, los autobuses que pasaban, la música que venía de un parque de diversiones allí cerca, todo parecía absolutamente surrealista, temible, irreal.

Apareció por fin un taxi.

—Al hospital —ordenó el marido, ayudando a la mujer a entrar.

—A la casa, por amor de Dios —suplicó ella. No quería más lugares extraños; necesitaba desesperadamente de cosas familiares, iguales, capaces de disminuir el miedo que sentía.

A medida que el taxi se dirigía al destino indicado, la taquicardia fue disminuyendo y la temperatura del cuerpo comenzó a regresar a lo normal.

—Estoy mejorando —le dijo al marido—. Tuvo que haber sido algo que comí.

Al llegar a la casa, el mundo parecía de nuevo el mismo que había conocido desde su infancia. Al ver que el marido se dirigía al teléfono, le preguntó qué iba a hacer.

—Llamar a un médico.

—No es necesario. Mírame y verás que estoy bien.

Le había vuelto el color a la cara, el corazón latía normalmente y el incontrolable miedo había desaparecido.

Aquella noche durmió pesadamente y despertó con una certeza. Alguien le había echado alguna droga en el café que habían tomado antes de ir al cine. Todo no había pasado de una broma peligrosa y estaba dispuesta, al final de la tarde, a recurrir a la policía e ir hasta el bar para descubrir al irresponsable autor de la idea.

Se dirigió al trabajo, despachó algunos casos que estaban pendientes y procuró ocuparse en los más diversos asuntos. La experiencia del día anterior la tenía aún algo asustada y necesitaba demostrarse a sí misma que aquello no se repetiría más.

Discutió con sus dos socios la película sobre El Salvador y de paso mencionó que ya estaba cansada de hacer todos los días las mismas cosas.

—Tal vez ha llegado la hora de jubilarme.

—Usted es de las mejores que tenemos —dijo su socio—. Y el Derecho es una de las raras profesiones donde la edad siempre cuenta a favor. ¿Por qué no se toma unas largas vacaciones? Estoy seguro de que volverá con nuevo entusiasmo.

—Quiero dar un giro a mi vida. Vivir una aventura, ayudar a otros, hacer algo que nunca hice.

La conversación acabó allí. Fue hasta la plaza, comió en un restaurante más caro que en el que acostumbraba comer siempre y regresó antes al bufete. A partir de aquel momento estaba comenzando su jubilación.

El resto del personal no regresaba todavía y Mari aprovechó para revisar el trabajo que tenía sobre la mesa. Abrió la gaveta para sacar una pluma que siempre colocaba en el mismo lugar y no la encontró. Durante una fracción de segundo pensó que quizá estaba actuando de manera extraña, pues no había guardado la pluma donde debía.

Fue suficiente para que el corazón se le volviese a disparar y el terror de la noche anterior regresara con todas sus fuerzas.

Quedó paralizada. El sol que entraba por las persianas le daba a todo un color diferente, más vivo, más agresivo, pero ella tenía

la sensación de que iba a morir en el siguiente minuto. Todo aquello era absolutamente extraño: ¿qué estaba haciendo en aquel escritorio?

«¡Dios mío, no creo en ti, pero ayúdame!»

Comenzó de nuevo a sudar frío y vio que no conseguía controlar el miedo. Si alguien entraba en aquel momento, notaría su aspecto asustado y estaría perdida.

«¡El frío!»

El frío había hecho que se sintiera mejor el día anterior, pero ¿cómo llegar hasta la calle? De nuevo percibía cada detalle de lo que le ocurría —el ritmo de la respiración (había momentos en que sentía que si no procuraba inspirar y espirar el aire, el cuerpo sería incapaz de hacer eso por sí mismo), el movimiento de la cabeza (las imágenes cambiaban de lugar como si se tratara de una cámara de televisión que girara), el corazón cada vez más desbocado, el cuerpo bañado por un sudor helado y pastoso.

Y el terror. Sin explicación alguna, un miedo gigantesco a hacer lo que sea, a dar un paso, a salir de donde estaba sentada.

«Se me va a pasar.»

El día anterior se le había pasado. Pero ahora estaba en el trabajo. ¿Qué hacer? Miró el reloj, que le pareció también un mecanismo absurdo, con dos agujas que giraban en torno a un eje, indicando una medida de tiempo que nadie nunca dijo por qué debía ser 12 y no 10, como las demás medidas del hombre.

«No puedo pensar en estas cosas. Me vuelven loca.»

Loca. Quizá ésta fuera la palabra justa para lo que le estaba sucediendo. Haciendo acopio de toda su voluntad, se levantó y se dirigió al baño. Por suerte, el despacho seguía vacío y consi-

guió llegar a donde quería en un minuto, que le pareció una eternidad. Se lavó la cara y la sensación de extrañeza disminuyó, pero el miedo continuaba.

«Se me pasará —se dijo—. Ayer se me pasó.»

Se acordaba de que el día anterior todo había durado media hora. Se encerró dentro de uno de los escusados, se sentó en el inodoro y colocó la cabeza entre las piernas. Esa postura hizo como si el corazón se le agrandara y en seguida irguió el cuerpo.

«Se me va a pasar.»

Se quedó allí, percatándose de que no se conocía a sí misma: estaba irremediablemente perdida. Escuchó pasos de gente que entraba y salía del baño, grifos que se abrían y cerraban, charlas inútiles sobre temas triviales. Más de una vez alguien trató de abrir la puerta del escusado donde ella se encontraba, pero hacía algún ruido y nadie insistía. Los ruidos de las descargas de agua sonaban como algo aterrador, capaz de derrumbar el edificio y llevar a todos al infierno.

Pero, como había previsto, el miedo se le fue pasando y el corazón regresó a la normalidad. Menos mal que su secretaria era lo bastante incompetente para notar su ausencia, pues de otra forma todo el despacho estaría en el baño preguntando si estaba bien.

Cuando vio que conseguía mantener de nuevo el control de sí misma, abrió la puerta, se lavó la cara largamente y regresó al despacho.

—No lleva maquillaje —dijo una pasante—. ¿Quiere que le preste el mío?

Mari no se molestó en responder. Entró en el despacho, tomó

su bolso con sus pertenencias y le dijo a la secretaria que pasaría el resto del día en casa.

—¡Pero si tenemos muchas citas pendientes! —protestó la secretaria.

—Usted no da órdenes; las recibe. Haga exactamente como le estoy ordenando: cancélelas.

La secretaria acompañó con los ojos a aquella mujer con la que trabajaba desde hacía casi tres años y que nunca había sido grosera. Algo muy serio le tenía que estar pasando. Quizá alguien le había chismeado que el marido andaba con alguna amante y ella quisiera sorprenderlos en flagrante adulterio.

«Es una abogada competente, que sabe cómo actuar», se dijo la muchacha. Sin duda mañana la abogada se disculparía con ella.

No hubo mañana. Aquella noche, Mari tuvo una larga conversación con su marido y le describió todos los síntomas de lo que le ocurría. Juntos llegaron a la conclusión de que las palpitaciones, el sudor frío, la extrañeza, la impotencia y el descontrol, todo se podía resumir en una palabra: miedo.

Marido y mujer estudiaron juntos lo que estaba pasando. Él pensó en algún cáncer craneal, pero no se lo expresó. Ella pensó que estaba teniendo premoniciones de algo terrible, pero tampoco lo dijo. Buscaron un terreno común para conversar, como la lógica y la razón de gente madura.

—Quizá convenga que te hagas unos análisis.

Mari estuvo de acuerdo, con una condición: nadie, ni los hijos, tenía que enterarse de nada.

Al día siguiente, en el bufete, solicitó, y recibió, licencia sin goce de sueldo por treinta días. El marido pensó en llevársela a Austria, donde estaban los grandes especialistas de males cerebrales, pero ella rehusaba salir de casa (los ataques ahora eran más frecuentes y largos).

Costándole mucho y a base de calmantes, los dos fueron a un hospital de Ljubljana y Mari se sometió a una enorme cantidad de análisis, mas no se le encontró nada anormal, ni siquiera un aneurisma, lo que tranquilizó a Mari el resto de los años siguientes.

Con todo, los ataques de pánico continuaban. Mientras el marido se ocupaba de las compras y cocinaba, Mari realizaba la limpieza diaria y compulsiva de la casa, para que mantuviera la mente concentrada en otras cosas. Se puso a leer todos los libros de psiquiatría que encontró, pero pronto dejó de hacerlo porque parecía identificarse con cada una de las enfermedades que allí se describían.

Lo más terrible de todo era que los ataques ya no eran una novedad y, de todos modos, ella continuaba sintiendo pavor, extrañamiento delante de la realidad e incapacidad de controlarse. Además se culpaba de la situación del marido, quien tenía que trabajar el doble, al tener que suplir sus quehaceres de ama de casa, salvo la limpieza.

Como los días pasaban y la situación no se resolvía, Mari comenzó a sentir y externar una irritación profunda. Todo era motivo para que perdiera la calma y se pusiera a gritar, lo que invariablemente terminaba en un llanto compulsivo.

Al cabo de los treinta días, el socio de bufete de Mari se presentó en la casa. Él telefoneaba todos los días, pero Mari no respondía o mandaba al marido a decir que estaba ocupada. Aquella tarde, sencillamente estuvo tocando el timbre hasta que ella abrió la puerta.

Mari había pasado una mañana tranquila. Preparó un té, hablaron del bufete y él le preguntó cuándo regresaría al trabajo.

—Nunca más.

Él le recordó la conversación sobre El Salvador.

—Usted siempre ha dado lo mejor de sí y tiene derecho a escoger lo que quiera —dijo él sin el menor rencor en la voz—, pero creo que el trabajo, en estos casos, es la mejor de todas las terapias. Viaje, conozca el mundo, sea útil donde crea que la necesitan, pero las puertas del bufete están abiertas esperando su regreso.

Al oír esto, Mari se echó a llorar, como le ocurría ahora con mucha facilidad.

El socio esperó a que ella se calmase. Como buen abogado no preguntó nada. Sabía que tenía más probabilidades de conseguir una respuesta con su silencio que preguntando.

Y así fue. Mari le contó su caso desde lo que ocurrió en el cine hasta los recientes ataques histéricos con el marido, que tanto la apoyaba.

—Estoy loca —dijo.

—Es una posibilidad —repuso él, con aire de quien lo comprende todo, pero con gran ternura en su voz—. En este caso tiene dos opciones: tratarse o continuar enferma.

—No hay tratamiento para lo que estoy sintiendo. Continúo

en pleno dominio de mis facultades mentales y estoy tensa porque esta situación se prolonga ya mucho tiempo, pero no tengo los síntomas clásicos de la locura, como ausencia de la realidad, desinterés o agresividad descontrolada. Sólo miedo.

—Es lo que dicen todos los locos: que son normales.

Los dos se echaron a reír y ella preparó un poco más de té. Hablaron del tiempo, el éxito de la independencia eslovena, las tensiones que ahora surgían entre Croacia y Yugoslavia. Mari se pasaba el día ante el televisor y estaba muy bien informada de todo.

Antes de despedirse, el socio volvió al asunto de su enfermedad:

—Acaban de abrir un sanatorio en la ciudad —dijo—. Capital externo y tratamiento de primer mundo.

—¿Tratamiento de qué?

—Desequilibrios, digámoslo así. Y el miedo exagerado es un desequilibrio.

Mari prometió pensárselo, pero no tomó ninguna decisión en tal sentido. Continuó con sus ataques de pánico durante más de un mes, hasta que entendió que no sólo su vida personal, sino su matrimonio se estaba viniendo abajo. De nuevo solicitó más calmantes y se atrevió a salir de casa... por segunda vez en sesenta días.

Tomó un taxi y se dirigió al nuevo sanatorio. De camino, el taxista le preguntó si iba a visitar a alguien.

—Dicen que es muy confortable, pero dicen también que los locos son furiosos y que los tratamientos incluyen choques eléctricos.

—Voy a visitar a alguien —repuso Mari.

Bastó apenas una hora de conversación para que dos meses de sufrimiento terminasen. El jefe de la institución —un hombre alto, de cabellos teñidos de negro, que respondía al nombre de doctor Igor— le explicó que se trataba de un caso de síndrome de pánico, mal recién admitido en los anales de la psiquiatría universal.

—No quiero decir que la enfermedad sea nueva —explicó con cuidado para ser bien comprendido—. Ocurre que las personas afectadas trataban de ocultarla para que no se las tuviera por locas. Se trata sólo de un desequilibrio químico del organismo, como en el caso de la depresión.

El doctort Igor escribió una receta y le dijo que podía regresar a su casa.

—No quiero regresar ahora —contestó Mari—. Por más que usted, doctor, me lo diga, no voy a tener el valor de salir a la calle. Mi matrimonio se ha convertido en un infierno y es preciso que deje que mi marido se reponga de estos meses que ha pasado cuidándome.

Como ocurría siempre en casos parecidos, ya que los accionistas querían mantener el hospital funcionando a plena capacidad, el doctor Igor aceptó su hospitalización, aunque dejando bien claro que no era necesaria.

Mari recibió la medicación adecuada, tuvo un seguimiento psicológico y los síntomas disminuyeron, hasta que se le pasaron por completo.

En éstas, sin embargo, el caso de la hospitalización de Mari corrió por la pequeña ciudad de Ljubljana. Su socio, amigo de muchos años, compañero de quién sabe cuántas horas de alegrías y miedos, fue a visitarla a Villete. La felicitó por su coraje en aceptar su consejo y buscar ayuda. Pero luego le explicó la razón de su visita:

—Quizá sea ya tiempo de que usted se jubile.

Mari entendió lo que había detrás de aquellas palabras: nadie querría confiar sus asuntos a una abogada que había sido internada en un manicomio.

—Usted me dijo que el trabajo es la mejor terapia. Yo necesito regresar, aunque sea por un tiempo muy breve.

Ella esperó a ver cuál era la reacción, pero él no dijo nada. Mari prosiguió:

—Usted mismo me recomendó que me tratara. Cuando pensaba en la jubilación imaginaba salir victoriosa, realizada, por mi libre y espontánea voluntad. No quiero dejar mi trabajo así, por haber sido derrotada. Deme por lo menos una oportunidad de recuperar mi autoestima y entonces pediré la jubilación.

El abogado carraspeó.

—Le sugerí que se tratara, no que se internara.

—Pero era cuestión de supervivencia. Sencillamente no era capaz de salir a la calle; mi matrimonio estaba acabado.

Mari sabía que era como hablar a la pared. Nada de lo que hiciera conseguiría disuadirlo. Al fin y al cabo era el prestigio del bufete lo que estaba en juego. De todas formas, lo intentó otra vez.

—Aquí adentro he convivido con dos clases de personas: gente que no tiene posibilidad de regresar a la sociedad y gente

que está absolutamente curada, pero prefiere fingirse loca, para no tener que hacer frente a las responsabilidades de la vida. Yo quiero, yo necesito volver a estar a gusto conmigo misma, debo convencerme de que soy capaz de tomar mis propias decisiones. No puedo ser empujada a cosas que no escogí.

—Nosotros podemos cometer muchos errores en la vida —insistió el abogado—, menos uno: el que nos destruye.

De nada servía seguir con la conversación: en su opinión, Mari había cometido un error fatal.

A los dos días anunciaron la visita de otro abogado, esta vez de otro despacho, considerado el mejor rival de sus ex compañeros. Mari se animó: quizá se habían enterado de que estaba libre para aceptar otro empleo y ahora se le brindaba la oportunidad de recuperar su lugar en el mundo.

El abogado entró en la sala de visitas, se sentó delante de ella, sonrió, le preguntó si ya estaba mejor y sacó varios papeles del portafolios.

—Estoy aquí por causa de su marido —dijo—. Esto es una petición de divorcio. Desde luego, él pagará sus gastos en el hospital todo el tiempo que usted permanezca aquí.

Esta vez, Mari no reaccionó. Lo firmó todo, aun sabiendo que, de acuerdo con la Justicia que había aprendido, podía prolongar indefinidamente aquel pleito. En seguida se fue con el doctor Igor y le dijo que los síntomas de pánico habían regresado.

El doctor Igor sabía que le estaba mintiendo, pero prolongó su hospitalización por tiempo indeterminado.

Veronika decidió ir a acostarse, pero Eduard continuaba parado junto al piano.

—Estoy cansada, Eduard. Voy a dormir.

Habría querido continuar tocando para él, extrayendo de su memoria anestesiada todas las sonatas, réquiems, adagios que conocía, porque él sabía admirar sin exigir, pero su cuerpo no aguantaba más.

¡Era un hombre tan guapo! Si siquiera saliera un poco de su mundo y la mirase como mujer, entonces sus últimas noches en esta tierra podrían ser las más bellas de este mundo, porque Eduard era el único capaz de entender que Veronika era una artista. Lograría con aquel hombre, a través de la emoción pura de una sonata o de un minué, un tipo de relación como la que nunca había tenido con nadie.

Eduard era un hombre ideal: sensible, educado, que destruiría un mundo sin interés, para recrearlo de nuevo en su cabeza, esta vez con nuevos colores, personajes e historias. Y este mundo nuevo incluiría una mujer, un piano y una luna que no dejaba de crecer.

—Me podría apasionar ahora, Eduard, entregarte todo lo que

tengo —dijo, sabiendo que él no la podía entender—. Tú sólo me pides un poco de música, pero yo soy mucho más de lo que pensaba que era y me gustaría compartir otras cosas que acabo de entender.

Eduard sonrió. ¿La habría comprendido? Veronika sintió miedo. El manual de buena educación dice que no se debe hablar de amor de una manera tan directa y menos con un hombre al que había visto tan pocas veces. Pero resolvió continuar, porque nada tenía que perder.

—Tú eres el único hombre en la faz de la Tierra por el que me puedo apasionar, Eduard. Simplemente porque cuando yo muera no sentirás mi falta. No sé qué siente un esquizofrénico, pero sin duda no ha de ser muy envidiable.

»Quizá en un principio eches de menos que no hay música por la noche; pero cada vez que la luna aparezca encontrará a alguien dispuesto a tocar sonatas, principalmente en un manicomio, porque aquí todos somos «lunáticos».

No sabía cuál era la relación entre los locos y la luna, pero tenía que ser muy fuerte, pues se usaba una palabra referente a ella para describir a los enfermos mentales.

—Yo tampoco te echaré de menos, Eduard, porque voy a estar muerta, lejos de aquí. Y como no tengo miedo de perderte ni me importa lo que pienses o dejes de pensar de mí, hoy toqué para ti como una mujer apasionada. Ha sido estupendo. Ha sido el mejor momento de mi vida.

Vio a Mari allá afuera. Se acordó de sus palabras y volvió a mirar al muchacho que tenía delante.

Veronika se quitó el suéter, se acercó a Eduard. Si tenía que hacer algo, tenía que ser ahora. Mari no soportaría el frío mucho tiempo allí afuera y en seguida regresaría.

Él se echó para atrás. La pregunta que había en sus ojos era otra: ¿cuándo regresaría al piano? ¿Cuándo tocaría una nueva melodía que hinchase su alma con los mismos colores, sufrimientos, dolores y alegrías de aquellos compositores locos que han atravesado tantas generaciones con sus obras?

—La mujer de allá afuera me dijo: «Mastúrbate. Aprende hasta dónde puedes llegar». ¿Es posible que pueda llegar más lejos que a donde siempre llegué?

Ella le tomó la mano y quiso llevarlo hasta el sofá, pero Eduard delicadamente rehusó. Prefería estar de pie donde estaba, al lado del piano, esperando pacientemente que ella volviera a tocar.

Veronika se desconcertó, pero en seguida se dio cuenta de que nada tenía que perder. Estaba muerta; ¿de qué le servía estar alimentando miedos o prejuicios que siempre limitaron su vida? Se quitó la blusa, los pantalones, el sostén, los calzones y se quedó desnuda delante de él.

Eduard rió. Ella no sabía de qué, pero se dio cuenta de que reía. Delicadamente le tomó la mano y la puso en su sexo. La mano se quedó allí, inmóvil. Veronika desistió de la idea y la apartó.

Algo la estaba excitando mucho más que el contacto físico con aquel hombre: el hecho de que podía hacer lo que quisiera,

de que no tenía límites. Salvo la mujer de allá afuera, que podía regresar en cualquier momento, nadie más estaba despierto.

La sangre le comenzó a correr más rápido y el frío que había sentido al desnudarse fue desapareciendo. Los dos estaban de pie, frente a frente: ella, desnuda; él, totalmente vestido. Veronika bajó la mano hasta su sexo y comenzó a masturbarse. Ya lo había hecho antes, sola o con compañeros, pero nunca en una situación como aquella, en que el hombre no manifestaba ningún interés por lo que estaba ocurriendo.

Y esto era excitante, muy excitante. De pie, con las piernas abiertas, Veronika tocaba su sexo, sus senos, sus cabellos, entregándose como nunca se había entregado, no tanto porque quisiera ver a aquel muchacho salir de su mundo distante sino porque nunca había experimentado aquello.

Comenzó a hablar, a decir cosas impensables, que sus padres, sus amigos, sus ancestros habrían pensado que era lo más sucio del mundo. Llegó el primer orgasmo y ella se mordió los labios para no gritar de placer.

Eduard la miraba. Había en sus ojos un brillo diferente, como si alguna cosa comprendiera, aunque no fuese más que la energía, el calor, el sudor, el olor que exhalaba su cuerpo. Veronika no estaba satisfecha aún. Se arrodilló y comenzó a masturbarse de nuevo.

Quería morir de gozo, de placer, pensando y realizando todo lo que siempre le había estado prohibido: imploró al hombre que la tocase, que la sometiera, que la usase para lo que se le antojara. Habría querido que Zedka estuviera también allí, porque una

mujer sabe cómo tocar el cuerpo de otra, como ningún hombre lo consigue, ya que conoce todos sus secretos.

De rodillas ante aquel hombre de pie, se sintió poseída y tocada y usó palabras fuertes para describir lo que quería que él le hiciera. Un nuevo orgasmo le fue llegando; esta vez más fuerte que nunca, como si todo en derredor fuera a estallar. Se acordó del ataque cardiaco que había tenido aquella mañana, pero aquello ya no tenía ninguna importancia: moriría gozando, explotando. Se sintió tentada a agarrar el sexo de Eduard que se encontraba bien cerca de su cara, pero no quería correr ningún riesgo de echar a perder aquel momento: estaba yendo lejos, muy lejos, exactamente como Mari le había dicho.

Se imaginó reina y esclava, dominadora y dominada. En su fantasía hacía el amor con blancos, negros, amarillos, homosexuales, mendigos. Era de todos y todos podían hacer todo. Tuvo uno, dos, tres orgasmos seguidos. Se imaginó todo lo que nunca antes se había imaginado y se entregó a lo que había de más vil y más puro. Por fin, no consiguió ya contenerse y gritó mucho, de placer, de dolor por los orgasmos seguidos, por los muchos hombres y mujeres que habían entrado en su cuerpo usando las puertas de su mente.

Se echó sobre el suelo y se quedó allí, inundada de sudor, con el alma llena de paz. Había escondido a sí misma sus deseos ocultos, sin saber nunca por qué... y no necesitaba ya de respuesta. Bastaba con haber hecho lo que había hecho: entregarse.

Poco a poco el Universo fue volviendo a su lugar y Veronika se levantó. Eduard se había mantenido inmóvil todo el tiempo, pero

algo en él parecía que había cambiado: sus ojos mostraban ternura, una ternura muy próxima a este mundo.

«Fue algo tan bueno que consigo ver amor en todo; incluso en los ojos de un esquizofrénico.»

Comenzó a vestirse y sintió una tercera presencia en la sala.

Mari estaba allí. Veronika no sabía cuándo había entrado, ni lo que había escuchado o visto, pero aun así no sentía vergüenza o miedo. Sólo la miró con la misma distancia con que se mira a una persona en extremo próxima.

—Hice lo que usted me sugirió —dijo—. Llegué lejos. Muy lejos.

Mari permaneció en silencio. Acababa de revivir momentos muy importantes de su vida y sentía cierto malestar. Quizá era hora de regresar al mundo, hacer frente a las cosas de allá afuera, decir que todos podían ser miembros de una gran Fraternidad, sin que hayan conocido jamás un manicomio.

Como aquella muchacha, por ejemplo, cuya única razón de estar en Villete era haber atentado contra su propia vida. Ella jamás había conocido el pánico, la depresión, las visiones místicas, las psicosis, los límites a los que la mente humana nos puede llevar. Aunque había conocido a tantos seres humanos nunca había experimentado lo que tienen de más ocultos en sus deseos... y el resultado era que no conocía ni la mitad de su vida. ¡Ah si todos pudieran conocer y convivir con su locura interior! ¿Sería peor el mundo? No, las personas serían más justas y felices.

—¿Por qué nunca había hecho yo esto antes?

—Quiere que le toque una melodía —dijo Mari, mirando a Eduard—. Creo que lo merece.

—Lo voy a hacer, pero dígame: ¿por qué nunca había hecho esto antes? Si soy libre, si puedo pensar todo lo que quiero, ¿por qué siempre evité imaginar situaciones prohibidas?

—¿Prohibidas? Escuche: yo fui abogada y conozco de leyes. También fui católica y me sabía de memoria gran parte de la Biblia. ¿Qué quiere decir con «prohibidas»?

Mari se le acercó y la ayudó a que se pusiera el suéter.

—Míreme bien a los ojos y no olvide lo que le voy a decir. Sólo existen dos cosas prohibidas: una por ley del hombre y otra por ley de Dios. Nunca fuerce una relación con alguien, pues se considera violación. Y nunca tenga relaciones con niños, porque éste es el peor de los pecados. Salvo esto, es usted libre. Siempre encontrará a alguien que desea exactamente lo mismo que usted desea.

Mari no tenía paciencia para enseñar cosas importantes a alguien que iba a morir pronto. Con una sonrisa dijo buenas noches y se retiró.

Eduard no se movió, esperando su música. Veronika tenía que recompensarlo por el inmenso placer que le había dado, sólo por el hecho de permanecer delante de ella, mirando su locura, sin pavor ni repulsión. Se sentó al piano y comenzó a tocar.

Sentía su alma liviana y ni siquiera el miedo de la muerte la atormentaba ya. Había vivido lo que siempre había escondido a sí misma; había experimentado los placeres de virgen y de prostituta, de esclava y de reina (más de esclava que de reina).

Aquella noche, como por milagro, todas las canciones que sabía afloraron a su mente y logró que Eduard sintiera tanto placer como ella.

Cuando prendió la luz, el doctor Igor quedó sorprendido al ver a la muchacha sentada en la sala de espera de su despacho.

—Aún es muy temprano y tengo el día lleno.

—Sé que es temprano —contestó ella— y que aún no es de día. Pero necesito hablar un poco, sólo un poco. Necesito ayuda.

Ella tenía ojeras y el pelo sin brillo, señales evidentes de que había pasado la noche en vela.

El doctor Igor le permitió entrar.

Le dijo que se sentara, prendió la luz del despacho y abrió las cortinas. Antes de una hora amanecería y en seguida podría economizar los gastos de la electricidad. Los accionistas siempre se fijaban en los gastos, por insignificantes que fueran.

•

Echó una rápida ojeada a su agenda: Zedka ya había recibido su último choque de insulina y había reaccionado bien o, mejor, había sobrevivido al tratamiento inhumano. Menos mal que en aquel caso específico, el doctor Igor había exigido que el Consejo del hospital firmara una declaración, responsabilizándose de los resultados.

Pasó a examinar los expedientes. Dos o tres pacientes se habían portado agresivos durante la noche, según las constancias de los enfermeros, entre ellos Eduard, quien había regresado a su dormitorio hacia las cuatro de la madrugada y había rehusado tomar las pastillas para dormir. El doctor Igor tenía que tomar providencias. Por más liberal que Villete fuera por el lado de adentro, era preciso mantener las apariencias de una institución conservadora y severa.

—Tengo algo muy importante que pedirle —dijo la chica.

Pero el doctor Igor no le prestó atención. Tomando el estetoscopio comenzó a auscultarle los pulmones y el corazón. Probó sus reflejos y examinó el fondo de la retina con una linternita portátil. Vio que casi no presentaba señales de envenenamiento por Vitriolo, o Amargura, como todos preferían decir.

En seguida fue al teléfono y pidió a la enfermera que le trajera un medicamento de nombre complicado.

—Parece que anoche a usted no la inyectaron —dijo.

—Pero me estoy sintiendo mejor.

—Basta mirar su cara: ojeras, cansancio, falta de reflejos inmediatos. Si quiere aprovechar el poco tiempo que le queda, por favor haga lo que le ordeno.

—Precisamente por esto estoy aquí. Quiero aprovechar el poco tiempo, pero a mi manera. ¿Cuánto me queda?

El doctor Igor la miró por encima de las antiparras.

—Doctor, puede decírmelo —insistió ella—. Ya no tengo miedo, ni indiferencia, ni nada. Tengo voluntad de vivir, pero sé que esto ahora no basta y estoy resignada con mi destino.

—Entonces, ¿qué es lo que desea?

La enfermera entró con una jeringa. El doctor Igor asintió con la cabeza y la enfermera arremangó delicadamente el suéter de Veronika.

—¿Cuánto tiempo me queda? —repitió Veronika, mientras la enfermera la inyectaba.

—Veinticuatro horas. Quizá menos.

Ella bajó los ojos y se mordió los labios, pero se controló.

—Quiero pedir dos favores. El primero es que me dé un remedio, una inyección, lo que sea, para que me mantenga despierta y aproveche cada minuto que me reste de vida. Tengo mucho sueño, pero ya no quiero dormir; tengo mucho que hacer: cosas que siempre he dejado para el futuro, cuando pensaba que la vida era eterna; cosas por las que perdí interés cuando creí que la vida no valía la pena.

—¿Cuál es su segunda petición?

—Salir de aquí y morir allá afuera. Quiero subir al castillo de Ljubljana, que siempre ha estado ahí y nunca tuve la curiosidad de verlo de cerca. Quiero conversar con la mujer que vende castañas en el invierno y flores en la primavera. ¡Cuántas veces nos hemos cruzado y nunca le pregunté cómo se sentía! Quiero andar por la nieve sin abrigo, sintiendo el frío extremo, yo que siempre anduve bien abrigada, para no resfriarme.

»En fin, doctor Igor, quiero que la lluvia me dé en la cara, sonreír a los hombres que me interesan, aceptar todos los cafés que me inviten. Tengo que besar a mi madre, decirle que la amo, llorar en su hombro, sin vergüenza de mostrar mis sentimientos, que siempre existieron pero los oculté.

»Quizá entre en la iglesia, mire las imágenes que nunca me

dijeron nada... y a lo mejor me dicen alguna cosa. Si un hombre interesante me invita a un cabaret, lo aceptaré y bailaré toda la noche, hasta caer exhausta. Luego me iré a acostar con él, pero no como lo he hecho otras ocasiones unas veces tratando de mantener el control y otras fingiendo cosas que no sentía. Quiero entregarme a un hombre, a la ciudad, a la vida y, finalmente, a la muerte...

Hubo un pesado silencio cuando Veronika dejó de hablar. Médico y paciente se miraban a los ojos, absortos, quizá distraídos por las muchas posibilidades que unas simples veinticuatro horas podían ofrecer.

—Le puedo dar algunos estimulantes, pero no le aconsejo que los use —dijo por fin el doctor Igor—. Le alejarán el sueño, pero también le quitarán la paz que necesita para vivir todo eso.

Veronika comenzó a sentirse mal. Siempre que recibía aquella inyección, algo malo le pasaba a su cuerpo.

—Se está poniendo más pálida. Tal vez sea mejor que se vaya a la cama y mañana volveremos a conversar.

De nuevo le vinieron ganas de llorar, pero continuó manteniendo el control.

—No habrá mañana: usted lo sabe. Estoy cansada, doctor Igor, extremadamente cansada. Por eso pedí las pastillas. He pasado la noche despierta, entre la desesperación y la aceptación. Podía tener un nuevo ataque histérico de miedo, como me ocurrió ayer, pero ¿de qué me serviría? Si aún me quedan veinticuatro horas de vida y tantas cosas por delante, creo que es preferible hacer a un lado la desesperación.

»Por favor, doctor Igor, déjeme vivir el poco tiempo que me queda, porque los dos sabemos que mañana puede ser tarde.

—Váyase a dormir —insistió el médico— y regrese al mediodía. Volveremos a conversar.

Veronika vio que no había salida.

—Voy a dormir y regreso. ¿Me concede usted aún algunos minutos?

—Unos pocos minutos. Estoy muy ocupado hoy.

—Voy a ir al grano. Anoche me masturbé por primera vez; me masturbé de una manera completamente libre. Pensé en todo lo que nunca me había atrevido a pensar, tuve placer de cosas que antes me asustaban o me repelían.

El doctor Igor adoptó la postura más profesional que pudo. No sabía a dónde podía llevar esta conversación y no quería problemas con sus superiores.

—Descubrí que soy una pervertida, doctor. Quiero saber si esto contribuyó a que intentara el suicidio. Hay muchas cosas que yo desconocía de mí misma.

«Bien, sólo se trata de una consulta —pensó él—. No necesito llamar a la enfermera para que esté presente en la conversación y evitar futuros procesos por abuso sexual.»

—Todos queremos hacer cosas diferentes —respondió— y también nuestro compañero. ¿Qué hay de malo en esto?

—Respóndame, doctor.

—Todo tiene algo de malo. Porque cuando todos sueñan y sólo algunos pocos realizan, todo el mundo se siente cobarde.

—¿Aunque estos pocos tengan la razón?

—El que tiene la razón es el que es más fuerte. En este caso,

paradójicamente, los cobardes son más valientes y consiguen imponer sus ideas.

El doctor Igor no quería ir más lejos.

—Por favor, vaya a descansar un poco, porque tengo otros pacientes que atender. Si usted colabora, veré qué puedo hacer respecto de su segunda petición.

La muchacha salió. Su siguiente paciente era Zedka, que tenía que recibir el alta, pero el doctor Igor pidió que aguardase un poco. Quería tomar unos apuntes sobre la conversación que acababa de tener.

Era necesario incluir un extenso capítulo sobre el sexo en su disertación del Vitriolo. Al fin y al cabo, gran parte de las neurosis y psicosis provienen de ahí; según él, las fantasías son impulsos eléctricos del cerebro y si no son realizadas descargan su energía en otras áreas.

Durante su carrera médica, el doctor Igor había leído un interesante artículo sobre las minorías sexuales: sadismo, masoquismo, homosexualidad, coprofagia, voyeurismo, deseo de decir palabras soeces; en fin, la lista era muy larga. Al principio creyó que eran desviaciones de algunas personas desajustadas que no conseguían mantener una relación saludable con sus parejas.

Pero a medida que avanzaba en la profesión de la psiquiatría, y entrevistando a sus pacientes, se percataba de que todo el mundo tenía algo particular que contar. Se sentaban en el cómodo sillón frente a su escritorio, miraban para abajo y comenzaban una larga disertación sobre lo que llamaban las «enfermeda-

des» (¡como si él no fuera el médico!) o «perversiones» (¡como si no fuera él el psiquiatra a quien le correspondía decidir!).

Y, una tras otra, las personas «normales» describían fantasías que constaban en el famoso libro sobre las minorías eróticas; un libro, por lo demás, que defendía el derecho de cada uno a tener el orgasmo que quisiera, mientras no violara el derecho del otro.

Mujeres que habían estudiado en colegios de monjas soñaban con ser humilladas; hombres de traje y corbata, funcionarios públicos de alto rango, decían que gastaban fortunas en prostitutas rumanas para sólo lamerles los pies. Muchachos que enloquecían por otros muchachos y chicas que se habían enamorado de sus compañeras de colegio. Maridos que querían ver a sus mujeres poseídas por extraños; mujeres que se masturbaban cada vez que encontraban alguna muestra del adulterio de sus esposos; amas de casa que tenían que reprimir el impulso de arrojarse al primer hombre que tocara el timbre para entregar algo; padres que contaban aventuras secretas con los rarísimos travestís que conseguían pasar el riguroso control de la frontera.

Y orgías. Parecía que todo el mundo, al menos una vez en la vida, deseaba participar en alguna orgía.

El doctor Igor dejó un momento la pluma y reflexionó sobre sí mismo: ¿también él? Sí, también a él le gustaría. La orgía, como la imaginaba, tenía que ser algo completamente anárquico, alegre, donde el sentimiento de posesión ya no existía, sino sólo el placer y la confusión.

¿Sería éste uno de los principales motivos de la gran cantidad de personas envenenadas por la Amargura? Matrimonios constreñidos a una monogamia forzada, donde el deseo sexual —según

estudios que el doctor Igor guardaba cuidadosamente en su biblioteca médica— desaparecía en el tercer o cuarto año de convivencia. A partir de ese momento, la mujer se sentía rechazada y el hombre se sentía esclavo del matrimonio y el Vitriolo o la Amargura lo comenzaba a destruir todo.

Las personas, ante el psiquiatra, hablaban más abiertamente que delante de un sacerdote, porque el médico no puede amenazar con el infierno. Durante su larga carrera de psiquiatra, el doctor Igor había escuchado prácticamente todo lo que podían contar.

Contar. Raramente *hacer*. Incluso después de varios años de profesión, se preguntaba aún por qué tanto miedo a ser diferentes.

Cuando intentaba averiguar la razón, la respuesta que más escuchaba era: «Mi marido pensará que soy una prostituta». Cuando era un hombre el que tenía delante, éste invariablemente decía: «Mi mujer merece respeto».

Y la conversación, por lo general, ahí se detenía. De nada servía decir que todas las personas tenían un perfil sexual diferente, tan distinto como sus huellas digitales. Nadie se lo quería creer. Era muy arriesgado ser libre en la cama, por miedo a que el otro fuera todavía esclavo de sus prejuicios.

«No voy a cambiar el mundo», se resignó y le ordenó a la enfermera que hiciera pasar a la ex depresiva.

«Pero por lo menos puedo decir lo que pienso en mi tesis.»

Eduard vio que Veronika salía del despacho del doctor Igor y se dirigía al dormitorio. Deseó contarle sus secretos, abrirle su alma

con la misma honestidad y libertad con que, la noche anterior, ella le había abierto su cuerpo.

Había sido una de las más duras pruebas por las que había pasado desde que había ingresado en Villete como esquizofrénico. Pero había logrado resistir y estaba contento, aunque su deseo de regresar a este mundo lo incomodaba.

«Todo el mundo aquí sabe que esta chica no llegará al final de la semana. De nada serviría.»

O quizá justamente por eso sería bueno compartir con ella su historia. Desde hacía tres años sólo conversaba con Mari y, de todos modos, no estaba seguro de que ella lo comprendiese perfectamente. Como madre tenía que pensar que los padres de él tenían razón, que sólo deseaban lo mejor para él, que las visiones del Paraíso eran un sueño tonto de adolescente, totalmente alejadas del mundo real.

Visiones del Paraíso. Exactamente lo que lo había llevado al infierno, a las peleas sin fin con su familia, a un sentimiento de culpa tan fuerte que lo dejaba en la incapacidad de reaccionar y lo obligaba a refugiarse en otro mundo. De no haber sido por Mari, él aún estaría viviendo en esa realidad aparte.

En cuanto apareció Mari y miró por él, él se sintió de nuevo amado. Gracias a esto aún era capaz de saber lo que ocurría en torno suyo.

Hacía unos pocos días, una chica de su edad se había sentado al piano para tocar la sonata *Claro de luna*. Sin saber si la culpa era de la música o de la chica o de la luna o del tiempo que ya llevaba en Villete, Eduard había sentido que las visiones del Paraíso empezaban a incomodarlo de nuevo.

La siguió hasta el dormitorio de mujeres, donde fue detenido por un celador.

—Aquí no puedes entrar, Eduard. Regresa al jardín. Está amaneciendo y va a ser un día magnífico.

Veronika miró para atrás.

—Voy a dormir un poco —le dijo con delicadeza—. Platicaremos cuando me levante.

Veronika no entendía por qué, pero aquel joven había pasado a formar parte de su mundo (o de lo poco que quedaba de él). Estaba segura de que era capaz de comprender su música y admirar su talento; aunque no lograse soltar una palabra, sus ojos lo decían todo.

Como en aquel momento, en la puerta del dormitorio, cuando hablaban cosas que ella no quería oír.

Ternura. Amor.

«Esta convivencia con los enfermos mentales me ha hecho enloquecer rápido.» Los esquizofrénicos no sienten eso... al menos no lo sienten por seres de este mundo.

Veronika sintió el impulso de voltear para darle un beso, pero se controló. El celador podría ver e ir a contárselo al doctor Igor y el médico, con toda seguridad, no daría el permiso para que una mujer que besa a esquizofrénicos saliera de Villete.

Eduard se enfrentó al celador. Su atracción por aquella chica era más fuerte que cuanto imaginaba, pero era preciso controlarse. Iría a pedir consejo a Mari, la única persona con la que compartía

sus secretos. De seguro, ella le diría que lo que deseaba sentir —el amor— era peligroso e inútil en un caso como éste. Mari le pediría que se dejara de bobadas y volviera a ser un esquizofrénico normal (y luego se echaría una carcajada muy a gusto, porque la frase no tenía sentido).

Eduard se unió a los demás internos en el refectorio, comió lo que le ofrecieron y salió para el obligatorio paseo por el jardín. Durante el «baño de sol» (aquel día la temperatura era bajo cero), trató de acercarse a Mari. Pero ésta daba la impresión de querer estar sola. No necesitaba que ella le dijera nada, pues Eduard conocía lo suficiente de la soledad para saber respetarla.

Un nuevo interno se le acercó a Eduard; aún no conocía a las personas, al parecer.

—Dios castigó a la humanidad —decía— y la castigó con la peste. Pero yo Lo he visto en sueños. Él me ha pedido que yo viniera a salvar a Eslovenia.

Eduard comenzó a apartarse, mientras el hombre gritaba:

—¿Cree usted que estoy loco? ¡Mejor lea los Evangelios! ¡Dios envió a Su hijo y Su hijo ha regresado por segunda vez!

Pero Eduard ya no lo escuchaba. Miraba las montañas allá afuera y se preguntaba qué le estaba ocurriendo. ¿Por qué deseaba salir de allí, si había encontrado por fin la paz que tanto había buscado? ¿Por qué arriesgarse a que sus padres de nuevo pasaran vergüenzas por él, cuando todos los problemas de la familia ya

estaban resueltos? Se comenzó a agitar y andaba de un lado para otro en espera de que Mari saliera de su mutismo y pudieran conversar, pero ella parecía más distante que nunca.

Sabía cómo huir de Villete; por severa que la vigilancia parecía, tenía muchas fallas. Sencillamente porque una vez dentro, los internos no sentían deseos de salir. Había una pared del lado oeste que podía ser escalada sin grandes dificultades, pues estaba llena de grietas; quien se decidiera a subirla, pronto se encontraría en un campo y, cinco minutos después, siguiendo en dirección norte, encontraría una carretera rumbo a Croacia. La guerra ya había terminado, los hermanos eran de nuevo hermanos, las fronteras ya no estaban tan vigiladas como antes y con un poco de suerte podría estar en Belgrado en seis horas.

Eduard ya había ido varias veces por aquella carretera, pero siempre prefirió regresar, porque aún no había recibido ninguna señal para que siguiera adelante. Ahora las cosas eran distintas: la señal había llegado por fin, bajo la forma de una joven de ojos verdes, cabellos castaños y ademán amedrentado de quien cree que sabe lo que quiere.

Eduard pensó en dirigirse derecho a la pared, salir y nunca más ser visto en Eslovenia. Pero la muchacha dormía y necesitaba siquiera despedirse de ella.

Acabado el baño de sol, cuando la Fraternidad se reunió en la sala, Eduard se les juntó.

—¿Qué hace aquí este loco? —preguntó el más viejo del grupo.

—Déjalo —dijo Mari—. Nosotros también estamos locos.

Todos se rieron y comenzaron a conversar sobre la conferencia del día anterior. La cuestión que debatían era: ¿sería cierto que la meditación sufí puede transformar el mundo? Presentaron teorías, sugerencias, métodos prácticos, ideas contrarias, críticas al conferencista, maneras de mejorar lo que ya había sido probado desde hacía tantos siglos.

Eduard pronto se hartó de aquel tipo de discusión. Aquella gente estaba encerrada en un manicomio y querían salvar al mundo, sin preocuparse de correr los riesgos, porque sabían que afuera todos los tratarían de ridículos, aunque tuvieran ideas muy concretas. Cada uno de ellos tenía una teoría especial sobre todo y creía que su verdad era la única que importaba. Pasaban días, noches, semanas y años conversando, sin jamás aceptar la única realidad que hay detrás de una idea: buena o mala, la idea sólo existe cuando alguien intenta llevarla a la práctica.

¿Qué era la meditación sufí? ¿Qué era Dios? ¿Qué era la salvación, si es que el mundo necesitaba ser salvado? Nada. Si todos allí —y allá afuera— vivieran sus vidas y dejasen que los demás hicieran lo mismo, Dios estaría en cada instante, en cada grano de mostaza, en el pedazo de nube que se forma y se deshace al momento siguiente. Dios estaba allí y, de todos modos, la gente creía que era necesario seguir buscando, porque parecía demasiado simple aceptar que la vida era un acto de fe.

Se acordó del ejercicio tan sencillo, tan simple que le escuchó al maestro sufí mientras esperaba que Veronika regresara al piano: mirar una rosa. ¿Se necesitaba más?

A pesar de todo, después de la experiencia de la meditación profunda, después de haber llegado tan cerca de las visiones del Paraíso, allí estaban aquellos discutiendo, argumentando, criticando, estableciendo teorías.

Su mirada se cruzó con la de Mari. Ella lo evitó, pero Eduard estaba resuelto a terminar de una vez por todas con aquella situación; se le acercó y la tomó del brazo.

—Estáte quieto, Eduard.

Quería decirle: «Venga conmigo», pero se abstuvo delante de aquella gente, que se sorprendería del tono firme de la voz. Por eso prefirió arrodillarse e implorar con los ojos.

Hombres y mujeres se echaron a reír.

—Te has convertido en una santa para él, Mari —comentó alguien—. Fue la meditación de ayer.

Pero los años de silencio de Eduard le habían enseñado a hablar con los ojos; era capaz de poner en ellos toda la energía. Del mismo modo como tenía absoluta certeza de que Veronika había captado su ternura y amor, sabía que Mari entendería su desesperación, porque necesitaba mucho de ella.

Ella rehusó aún un poco. Por fin, se levantó y lo tomó de la mano.

—Vamos a dar un paseo —le dijo—. Estás nervioso.

Ambos volvieron a salir al jardín. En cuanto estuvieron a una distancia segura, sin que nadie pudiera oír la conversación, Eduard rompió el silencio.

—He estado aquí en Villete muchos años —dijo—. Dejé de avergonzar a mis padres, dejé mis ambiciones, pero las visiones del Paraíso seguían.

—Ya lo sé —respondió Mari—. Hemos conversado de esto muchas veces. Y sé también adónde quieres llegar: es hora de salir.

Eduard miró al cielo. ¿Sería que ella sentía lo mismo?

—Y es por causa de la muchacha —prosiguió Mari—. Ya hemos visto a mucha gente morir aquí adentro, siempre en el momento en que no lo esperaban y, en general, después de haber desistido de la vida. Pero ésta es la primera vez que sucede esto con una persona joven, bella, plena de salud, con tanta vida por delante.

»Veronika es la única que no desearía continuar en Villete por siempre. Y esto ha hecho que nos preguntemos: ¿Y nosotros? ¿Qué hacemos aquí?

Él hizo un signo de asentimiento con la cabeza.

—Anoche también me pregunté qué estaba haciendo en este sanatorio y vi que sería mucho más interesante estar en la plaza, en los Tres Puentes, en el mercado que hay delante del teatro comprando manzanas y hablando del tiempo. Claro que estaría lidiando con cosas ya olvidadas, como cuentas por pagar, dificultades con los vecinos, la mirada irónica de la gente que no me comprende, la soledad, las reclamaciones de mis hijos. Pero pienso que todo eso forma parte de mi vida y el precio de hacer frente a esos pequeños problemas es mucho menor que el de no reconocerlos como nuestros.

»Estoy pensando en ir a casa de mi ex marido hoy sólo para decir "gracias". ¿Qué te parece?

—Nada. ¿Convendría acaso que yo fuera a casa de mis padres y dijera lo mismo?

—Quizá. En el fondo la culpa de todo lo que sucede en nues-

tra vida es exclusivamente nuestra. Muchas personas pasan por las mismas dificultades que nosotros y reaccionan de manera diferente. Nosotros buscamos lo más fácil: una realidad aparte.

Eduard sabía que Mari tenía razón.

—Tengo deseos de volver a vivir, Eduard, y cometer los errores que siempre deseé cometer y nunca tuve el valor de hacerlo. Hacer frente al pánico que puede volver a surgir, pero cuya presencia apenas si me dará cansancio, porque sé que no voy a morir ni desmayarme por eso. Puedo tener nuevos amigos y enseñarles a ser locos para que sean sabios. Les diré que no sigan el manual de buena conducta; que descubran sus propias vidas, sus propios deseos, sus aventuras y ¡VIVAN! Citaré el Eclesiastés a los católicos, el Corán a los musulmanes, la Torá a los judíos y los textos de Aristóteles a los ateos. Ya no quiero volver a ser abogada, pero puedo usar mi experiencia para dar conferencias sobre los hombres y mujeres que conocieron la verdad de esta existencia y cuyos escritos se pueden resumir en una única palabra: «¡Vivan!». Si vives, Dios vivirá contigo. Si rehúsas correr tus riesgos, Él regresará al distante Cielo y sólo será un tema de especulación filosófica.

»Todo el mundo lo sabe, pero nadie da el primer paso, quizá por miedo de que los llamen locos. Y por lo menos este miedo nosotros no lo tenemos, Eduard. Ya pasamos por Villete.

—Sólo que no podemos ser candidatos a la presidencia de la república. La oposición examinaría muy bien nuestro pasado.

Mari rió y estuvo de acuerdo.

—Me cansé de esta vida. No sé si conseguiré superar este miedo, pero estoy harta de la Fraternidad, de este jardín, de Villete, de fingir que estoy loca.

—¿Si yo lo hago, lo hace usted?

—Tú no vas a hacer una cosa así.

—Casi lo hice hace unos minutos.

—No sé. Estoy cansada de todo esto, pero ya estoy acostumbrada.

—Cuando entré aquí, con diagnóstico de esquizofrenia, usted pasó días, meses, prestándome atención y tratándome como un ser humano. También yo me estaba acostumbrando a la vida que decidí llevar, con la otra realidad que me creé, pero usted no me dejó. Yo la odié y hoy la amo. Quiero que usted salga de Villete, Mari, como yo he salido de mi mundo aparte.

Mari se separó sin dar respuesta.

En la pequeña y nunca frecuentada biblioteca de Villete, Eduard no encontró el Corán, ni Aristóteles ni los demás filósofos que Mari mencionó. Pero estaba el texto de un poeta:

Por eso me dije: «la suerte del
insensato será también la mía.
Vete, come tu pan con alegría
y bebe gustosamente tu vino,
porque Dios ya aceptó tus obras.
Que tus vestiduras sean blancas todo el tiempo
y nunca falte perfume en tu cabeza.
Disfruta de la vida con la mujer amada
en todos los días de vanidad que Dios
te concedió bajo el sol.

Porque ésta es tu porción en la vida
y en el trabajo con que te fatigas bajo el sol.
Sigue los caminos de tu corazón
y el deseo de tus ojos,
sabiendo que Dios te pedirá cuentas».

—Dios te pedirá cuentas al final —dijo Eduard en voz alta—. Y yo diré: «Durante algún tiempo de mi vida me dediqué a ver el viento, me olvidé de sembrar, no disfruté de mis días, ni siquiera bebí el vino que me era ofrecido. Pero un día me juzgué dispuesto y regresé a mi trabajo. Conté a los hombres mis visiones del Paraíso, como El Bosco, Van Gogh, Wagner, Beethoven, Einstein y otros locos hicieron antes de mí». Bien, Él dirá que yo salí del manicomio para no ver morir a una chica, pero ella estará allí en el Cielo e intercederá por mí.

—¿Qué estás diciendo? —intervino el encargado de la biblioteca.

—Quiero salir de Villete ahora —repuso Eduard, con un tono de voz más alto que el normal—. Tengo algo que hacer.

El empleado apretó un timbre y en poco tiempo aparecieron dos enfermeros.

—Quiero salir —repitió Eduard, agitado—. Estoy bien. Déjenme hablar con el doctor Igor.

Pero los dos hombres ya lo tenían uno por cada brazo. Eduard se debatía para zafarse de los brazos de los enfermeros, aun sabiendo que era inútil.

—Estás teniendo una crisis. Tranquilízate —le dijo uno de ellos—. Nos vamos a encargar de esto.

Eduard siguió debatiéndose.

—¡Déjenme hablar con el doctor Igor! ¡Tengo mucho que decirle y estoy seguro de que me va a entender!

Los hombres lo arrastraban ya para el dormitorio.

—¡Suéltenme —gritaba—, déjenme hablar por lo menos un minuto!

El camino al dormitorio pasaba por la sala de estar y los demás enfermos estaban allí reunidos. Eduard se debatía y el ambiente comenzó a ponerse agitado.

—¡Déjenlo libre! ¡Está loco!

Algunos se reían, otros golpeaban con las manos mesas y sillas.

—¡Esto es un manicomio! ¡Nadie está obligado a portarse como ustedes!

Uno de los hombres susurró al otro:

—Hay que asustarlos o en poco tiempo la situación se volverá incontrolable.

—Sólo hay un modo.

—Al doctor Igor no le va a gustar.

—Será peor ver que esta banda de maniacos le rompe su sanatorio adorado.

Veronika despertó sobresaltada, sudando frío. El barullo allá afuera era grande y ella necesitaba silencio para continuar durmiendo. Pero el alboroto continuaba.

Se levantó medio aturdida y se fue hasta la sala a tiempo de ver a Eduard arrastrado, mientras otros enfermeros llegaban a toda prisa con jeringas listas.

—¿Qué están haciendo? —les gritó.

—¡Veronika!

¡El esquizofrénico había hablado con ella, la había llamado por su nombre! En una mezcla de vergüenza y sorpresa intentó aproximarse, pero uno de los enfermeros se lo impidió.

—¿Qué es esto? ¡Yo no estoy aquí por loca; ustedes saben que no pueden tratarme así!

Logró empujar al enfermero, mientras los demás internos gritaban y armaban una algazara que la llenó de miedo. ¿Tendría que ir a buscar al doctor Igor y salir de inmediato?

—¡Veronika!

Él la llamó otra vez por su nombre. Con un esfuerzo sobrehumano, Eduard consiguió librarse de los dos hombres. Pero en vez de salir corriendo se quedó parado, inmóvil, como estuvo la noche anterior. Como por arte de magia, todo el mundo se detuvo, en espera de lo que iba a seguir.

Uno de los enfermeros volvió a acercarse, pero Eduard lo vio, usando de nuevo toda su energía.

—Voy con ustedes. Ya sé adonde me llevan y sé también que desean que todos lo sepan. Esperen sólo un minuto.

El enfermero juzgó que más valía correr el riesgo. A fin de cuentas, todo parecía haber vuelto a la normalidad.

—Creo que eres... creo que tú eres importante para mí —le dijo Eduard a Veronika.

—No puedes hablar. No vives en este mundo y no sabes que me llamo Veronika. No estuviste conmigo anoche; ¡por favor, di que no estuviste!

—Estuve.

Ella lo tomó de la mano. Los locos gritaban, aplaudían, decían palabras soeces.

—¿Adónde te llevan?

—A un tratamiento.

—Voy contigo.

—No vale la pena. Te vas a asustar, aunque te garantizo que no duele, que no se siente nada. Y es mucho mejor que los calmantes, porque la lucidez regresa más rápido.

Veronika no sabía de qué estaba hablando él. Se arrepintió de haberlo tomado de la mano; quería salir lo más rápido posible a esconder su vergüenza y nunca más volver a ver a aquel hombre que había presenciado lo más sórdido que había en ella y aun así continuaba tratándola con ternura.

Pero de nuevo se acordó de las palabras de Mari: no era necesario dar explicaciones de su vida a nadie, ni siquiera al joven que tenía delante.

—Voy contigo.

Los enfermeros pensaron que quizá era mejor así: el esquizofrénico ya no necesitaba ser reducido, pues iba por propia voluntad.

Cuando llegaron al dormitorio, Eduard se echó voluntariamente sobre la cama. Ya había dos hombres esperando con una extraña máquina y una bolsa con tiras de tela.

Eduard se volteó hacia Veronika y le pidió que se sentara al lado.

—En unos minutos, esto correrá por toda Villete y todos se calmarán, porque aun la más furiosa de las locuras carga con su dosis de miedo. Sólo quien ya ha pasado por esto sabe que no es tan terrible.

Los enfermeros habían escuchado la conversación y no creían lo que el esquizofrénico decía. Tenía que doler mucho, pero nadie puede saber lo que pasa por la cabeza de un loco. La única cosa sensata que había dicho era lo del miedo: aquello correría por Villete y la calma regresaría rápidamente.

—Te has acostado antes de tiempo —le dijo uno de ellos.

Eduard se levantó y ellos extendieron una especie de cobertor de goma.

—Ahora sí puedes acostarte.

Obedeció. Estaba tranquilo, como si todo aquello fuera rutina.

Los enfermeros sujetaron el cuerpo de Eduard con unas tiras de tela y le colocaron una goma en la boca.

—Es para que no se muerda la lengua sin querer —le dijo uno de los hombres a Veronika, contento de dar una información técnica junto con una advertencia.

Sobre una silla junto a la cama colocaron la extraña máquina, no mucho más grande que una caja de zapatos, con algunos botones y tres medidores con manecillas. De la parte superior salían dos cables que terminaban en una especie de auriculares.

Uno de los enfermeros colocó los auriculares en las sienes de Eduard. El otro pareció regular el mecanismo girando algunos botones, ya para la derecha, ya para la izquierda. Aunque no podía hablar por la goma que tenía en la boca, Eduard mantenía sus ojos en los de ella y parecía decir: «No te preocupes, no te asustes».

—Está regulado para 130 voltios en 0.3 segundos —dijo el enfermero que manejaba la máquina—. Ahí va.

Apretó un botón y la máquina emitió un zumbido. En ese mismo momento, los ojos de Eduard se quedaron como de vidrio, su cuerpo se retorció en la cama con tal furia que, de no ser por las tiras de tela que lo amarraban, se habría partido la columna.

—¡Paren esto! —gritó Veronika.

—Ya paramos —respondió el enfermero, retirando los auriculares de las sienes de Eduard. Aun así, el cuerpo continuaba retorciéndose y la cabeza se meneaba de un lado para otro con tal violencia que uno de los hombres la sostuvo. El otro guardó la máquina en una bolsa y se sentó a fumar un cigarro.

La escena duró unos minutos. El cuerpo parecía regresar a la normalidad, pero en seguida comenzaron los espasmos, mientras uno de los enfermeros redoblaba su fuerza para mantener firme la cabeza de Eduard. A los pocos momentos, las contracciones fueron disminuyendo, hasta cesar por completo. Eduard mantenía los ojos abiertos y uno de los hombres los cerró, como se hace con los muertos.

Después le quitó la goma de la boca, lo desató y guardó las tiras de tela en la bolsa donde estaba la máquina.

—El efecto del electrochoque dura una hora —le dijo a la joven, que ya no gritaba y parecía hipnotizada con lo que estaba viendo—. Todo está bien. En seguida volverá a la normalidad y estará más calmado.

En cuanto la descarga eléctrica le llegó, Eduard sintió lo que había experimentado antes: la visión normal iba disminuyendo, como si alguien cerrara una cortina, hasta que todo desaparecía por completo. No sentía ningún dolor ni sufrimiento, pero había estado presente cuando se había aplicado el electrochoque a otros enfermos y sabía lo horrible que parecía la escena.

Eduard ahora estaba en paz. Si momentos antes advertía sentimientos nuevos en su corazón, si comenzaba a percibir que el amor no era sólo aquello que sus padres le daban, el electrochoque o terapia electroconvulsiva (TEC), como preferían llamarla los especialistas, con certeza haría que volviera a la normalidad.

El efecto principal de la TEC era el olvido de los recuerdos recientes. Eduard no podía alimentar sueños imposibles. No podía estar mirando un futuro que no existía. Sus pensamientos debían permanecer dirigidos hacia su pasado, pues de otra forma querría retornar nuevamente a la vida.

Una hora más tarde, Zedka entró en el dormitorio, donde casi no había nadie, salvo un joven echado en una cama y una muchacha sentada en una silla.

Cuando se aproximó vio que la joven había vomitado de nuevo y tenía la cabeza agachada, inclinada hacia la derecha.

Zedka regresó para pedir auxilio, pero Veronika levantó la cabeza.

—No es nada —dijo—. Tuve otro ataque pero ya pasó.

Zedka la levantó cariñosamente y la llevó hasta el baño.

—Es un baño de hombres —dijo la joven.

—No hay nadie aquí; no se preocupe.

Le retiró el suéter sucio, lo lavó y lo colocó sobre el radiador de la calefacción. Luego se sacó su blusa de lana y se la puso a Veronika.

—Quédesela. Vine para despedirme.

La joven parecía distante, como si ya nada le interesase. Zedka la condujo de nuevo a la silla donde había estado sentada.

—Eduard va a despertar en breve. Quizá le cueste recordar lo que ha sucedido, pero la memoria le regresará rápido. No se asuste si en los primeros instantes no la reconoce.

—No me asustaré —respondió Veronika—, porque tampoco me reconozco a mí misma.

Zedka tomó una silla y se sentó junto a ella. Había estado en Villete tanto tiempo que nada costaba quedarse unos minutos más con aquella muchacha.

—¿Se acuerda de nuestro primer encuentro? Aquel día le conté una historia para explicar que el mundo es exactamente de la manera que lo vemos. Todos creían loco al rey porque quería imponer un orden que no existía ya en la mente de sus súbditos.

»Pero hay cosas en la vida que, mirémoslas por el lado que las miremos, continúan siendo siempre las mismas y valen para todo el mundo. Como el amor, por ejemplo.

Zedka notó que los ojos de Veronika habían cambiado. Prosiguió:

—Yo diría que si alguien tiene muy poco tiempo de vida y decide pasar ese poco tiempo que le resta delante de una cama,

mirando a un hombre dormido, tiene algo de amor. Diría más: si durante ese tiempo esa persona tiene un ataque cardiaco y no dice nada, sólo para no alejarse de aquel hombre, es porque ese amor puede crecer mucho.

—Puede ser también desesperación —dijo Veronika—. Un intento de probar que, a fin de cuentas, no hay motivos para continuar luchando bajo el sol. No puedo estar enamorada de un hombre que vive en otro mundo.

—Todos vivimos en nuestro propio mundo. Pero si mira el cielo estrellado, verá que todos esos mundos diferentes se combinan formando constelaciones, sistemas solares, galaxias.

Veronika se levantó y fue hasta la cabecera de Eduard. Cariñosamente pasó las manos por sus cabellos. Estaba contenta de tener a alguien con quien conversar.

—Hace muchos años, cuando era una niña y mi madre me obligaba a aprender piano, yo me decía a mí misma que no sería capaz de tocarlo cuando estuviera enamorada. Anoche, por primera vez en mi vida sentí que las notas salían de mis dedos como si no tuviera ningún control sobre lo que hacía.

»Una fuerza me guiaba, construía melodías y acordes que nunca pensé ser capaz de tocar. Me entregué al piano porque me acababa de entregar a este hombre, sin que él me hubiera tocado un cabello siquiera. Ayer no fui yo misma, ni cuando me entregué al sexo ni cuando tocaba el piano. Aun así, creo que fui yo misma.

Veronika meneó la cabeza.

—Nada de lo que digo tiene sentido.

Zedka se acordó de sus encuentros en el espacio con todos aquellos seres que flotan en dimensiones diferentes. Quiso con-

társelo a Veronika, pero tuvo miedo de confundirla aún más.

—Antes de que me repita que va a morir, quiero decirle algo: hay gente que se pasa la vida buscando un momento como el que tuvo anoche y no lo consigue. Por eso, si tuviera que morir ahora, muera con el corazón lleno de amor.

Zedka se levantó.

—No tiene nada que perder. Mucha gente no se permite amar justamente por eso, porque tiene muchas cosas, mucho futuro y pasado en juego. En su caso sólo existe el presente.

Se acercó y le dio un beso a Veronika.

—Si continúo aquí más tiempo, voy a terminar no queriendo salir de aquí. Estoy curada de mi depresión, pero aquí adentro he descubierto otros tipos de locura. Quiero llevármelos conmigo y ver la vida con mis propios ojos.

»Cuando entré era una mujer deprimida. Hoy soy una mujer loca y me siento muy orgullosa de ello. Allí afuera me comportaré exactamente como los demás. Haré las compras en el súper, conversaré trivialidades con mis amigas, perderé algún tiempo importante delante de la televisión. Pero sé que mi alma está libre y que puedo soñar y conversar con otros mundos que, antes de entrar aquí, ni me había imaginado que existieran.

»Me permitiré hacer algunas tonterías, sólo para que los demás digan: «¡Es que ha salido de Villete!». Pero sé que mi alma estará completa, porque mi vida tiene sentido. Podré mirar una puesta de sol y creer que Dios está detrás. Cuando alguien me moleste mucho, diré alguna barbaridad y no me incomodaré por lo que piensen, pues todos van a decir: «¡Es que ha salido de Villete!».

»En la calle, voy a mirar a los hombres a los ojos, sin vergüenza de sentirme deseada. Luego me iré a una tienda de productos importados, compraré los mejores vinos que me alcance con mi dinero y haré que mi marido beba conmigo, porque quiero reír con quien tanto amo.

»Me dirá, riendo: "¡Estás loca!". Y yo le responderé: "¡Claro, estuve en Villete! Y la locura me liberó. Ahora, mi adorado marido, tienes que pedir vacaciones todos los años y llevarme a conocer algunas montañas peligrosas, porque necesito correr el riesgo de estar viva".

»Los demás dirán: "¡Ha salido de Villete y está volviendo loco al marido!". Y él entenderá que tienen razón, dará gracias a Dios porque nuestro matrimonio está comenzando ahora y somos locos, como estaban locos quienes inventaron el amor.

Zedka salió canturreando una melodía que Veronika nunca había escuchado.

La jornada había sido exhaustiva, pero había valido la pena. El doctor Igor trataba de mantener la flema y la indiferencia de un científico, pero casi no conseguía controlar su entusiasmo: ¡las pruebas de la curación del envenenamiento con Vitriolo estaban dando resultados sorprendentes!

—Usted no tiene cita hoy —le dijo a Mari, que había entrado sin llamar a la puerta.

—No me voy a demorar mucho. Sólo le quiero pedir una opinión.

«Hoy todos quieren sólo una opinión», pensó el doctor Igor, acordándose de la chica y su pregunta sobre el sexo.

—Eduard acaba de recibir un choque eléctrico.

—Terapia electroconvulsiva; por favor, emplee el nombre correcto o va a parecer que somos una horda de bárbaros —el doctor Igor consiguió disimular su sorpresa, pero luego averiguaría quién había decidido aquello—. Y si quiere mi opinión sobre el asunto, tengo que aclararle que la TEC no se aplica hoy como se hacía antiguamente.

—Pero es peligrosa.

—Era muy peligrosa. No sabían el voltaje exacto ni el pun-

to preciso donde colocar los electrodos y muchos morían de derrame cerebral durante el tratamiento. Pero las cosas han cambiado: hoy, la TEC se está volviendo a utilizar con mucha mayor precisión técnica y tiene la ventaja de provocar una amnesia rápida, evitando la intoxicación química por el uso prolongado de medicamentos. Lea algunas revistas psiquiátricas, por favor, y no confunda la TEC con los choques eléctricos de los torturadores sudamericanos.

»Listo, la opinión solicitada está dada. Ahora tengo que regresar al trabajo.

Mari no se movió.

—No fue esto lo que vine a preguntar. En realidad, lo que quiero saber es si puedo salir de aquí.

—Usted sale cuando quiere y regresa porque lo desea… y porque el marido aún tiene dinero para mantenerla en un lugar caro como éste. Quizá lo que me desea preguntar es: «¿Estoy curada?». Y mi respuesta es otra pregunta: «¿Curada de qué?». Usted dirá: «Curada de mi miedo, del síndrome del pánico». Y yo le responderé: «Bien, Mari, hace tres años que ya no padece eso».

—Entonces estoy curada.

—Desde luego que no. Su mal no es ése. En la tesis que estoy escribiendo para presentarla ante la Academia de Ciencias de Eslovenia (el doctor Igor no quería entrar en detalles sobre el Vitriolo) trato de estudiar el comportamiento humano llamado «normal». Muchos médicos antes que yo ya hicieron este estudio y llegaron a la conclusión de que la normalidad es sólo una cuestión de consenso, o sea, si mucha gente piensa que una cosa es la correcta, esa cosa pasa a ser la correcta.

»Hay cosas que no están gobernadas por el sentido común: colocar los botones en la parte delantera de la camisa es una cosa lógica, pues sería muy difícil abotonárselos de lado e imposible si estuvieran detrás.

»Otras cosas, sin embargo, se van imponiendo porque cada vez más gente cree que tienen que ser así. Le voy a poner dos ejemplos: ¿se ha preguntado por qué las teclas de una máquina de escribir llevan ese orden?

—Nunca me lo he preguntado.

—A este teclado lo llamamos QWERTY, porque las letras de la primera hilera están colocadas así. Yo me pregunté el porqué y encontré la respuesta. La primera máquina fue inventada por Christopher Scholes en 1873, para mejorar la caligrafía. Pero presentaba un problema: si la persona tecleaba a mucha velocidad, los tipos chocaban y trababan la máquina. Entonces Scholes diseñó el teclado QWERTY, *un teclado que obligaba a los dactilógrafos a ir despacio*.

—No lo creo.

—Pues es verdad. Sucedió que Remington, en aquella época fabricante de máquinas de coser, usó el teclado QWERTY para sus primeras máquinas de escribir. Lo que significó que más personas se vieron obligadas a aprender este sistema y más compañías fabricaron este teclado, hasta que se convirtió en el único existente. Repitiendo: el teclado de las máquinas de escribir y de las computadoras fue diseñado para que se tecleara más lentamente y no más rápido, ¿me entendió? Cambie las teclas de lugar y no encontrará un comprador para su producto.

La primera vez que Mari había visto un teclado se preguntó

por qué no estaba en orden alfabético. Pero no averiguó más. Creyó que era el mejor diseño para que las personas escribieran rápido.

—¿Conoce usted Florencia? —preguntó el doctor Igor.

—No.

—Tiene que conocerla. No está muy lejos y allí está mi segundo ejemplo. En la catedral de Florencia hay un reloj bellísimo, diseñado por Paolo Uccello en 1443. Pero este reloj tiene una curiosidad: aunque marca las horas como los demás, las manecillas van en sentido contrario.

—¿Qué tiene que ver esto con mi enfermedad?

—Para allá voy. Paolo Uccello, al fabricar este reloj, no trataba de ser original. En realidad, en aquel momento había otros relojes así y otros cuyas manecillas iban en el sentido que hoy conocemos. Por alguna razón desconocida, quizá porque el duque tenía un reloj cuyas agujas marchaban en el sentido que hoy conocemos como «correcto», éste fue el sentido que se impuso como único y el reloj de Uccello pasó a ser una aberración, una locura.

El doctor Igor hizo una pausa, pero sabía que Mari estaba siguiendo su razonamiento.

—Ahora vayamos a su mal: cada ser humano es único, con sus propias cualidades, instintos, formas de placer, búsqueda de aventuras. Pero la sociedad termina imponiendo una manera colectiva de actuar y la gente no se detiene a preguntarse por qué hay que comportarse así. Lo aceptan y ya, como los dactilógrafos aceptaron el hecho de que el QWERTY era el mejor teclado posible. ¿Ha conocido a alguien en toda su vida que se haya preguntado por qué las manecillas del reloj marchan en una dirección y no en sentido contrario?

—No.

—Si alguien preguntara, seguramente escucharía: «¡Está usted loco!» Si insistiera en la pregunta, los demás tratarían de encontrar una razón, pero en seguida cambiarían de tema, porque no hay ninguna razón, salvo la que le expliqué.

»Ahora, volvamos a su pregunta. Repítala.

—¿Estoy curada?

—No. Usted es una persona diferente y quiere ser igual. Y esto, según mi punto de vista, se considera un mal grave.

—¿Es grave ser diferente?

—Es grave forzarse a ser igual: provoca neurosis, psicosis, paranoias. Es grave querer ser igual, porque es forzar la naturaleza e ir contra las leyes de Dios, que en todos los bosques y selvas del mundo no creó una hoja igual a otra. Pero a usted le parece que ser diferente es una locura y por eso escogió Villete para vivir. Porque aquí, como todos son diferentes, usted pasa a ser igual que los demás. ¿Entendió?

Mari asintió con la cabeza.

—Por falta de valor para ser diferentes, las personas van contra la naturaleza y el organismo comienza a producir el Vitriolo, o Amargura, como vulgarmente se conoce este veneno.

—¿Qué es el Vitriolo?

El doctor Igor se dio cuenta de que se había entusiasmado demasiado, y decidió cambiar de tema.

—No tiene importancia lo que es el Vitriolo. Lo que quiero decir es lo siguiente: todo indica que usted no está curada.

Mari tenía años de experiencia en los tribunales y decidió ponerlos en práctica allí mismo. La primera táctica era fingir que

estaba de acuerdo con el contrario, para luego enredarlo de inmediato en otro razonamiento.

—Estoy de acuerdo con usted, doctor. Llegué aquí por un motivo muy concreto, el síndrome del pánico, y terminé por un motivo muy abstracto: la incapacidad de encarar una vida diferente, sin empleo ni marido. Concuerdo con usted: había perdido la voluntad de comenzar una nueva vida, a la que me tenía que acostumbrar de nuevo. Y voy más lejos: estoy de acuerdo en que en un hospital psiquiátrico, con todo y sus electrochoques —perdón, TEC, como usted prefiere—, los horarios y los ataques de histeria de algunos enfermos, las reglas son más fáciles de soportar que las leyes de un mundo que, como dice usted, *hace que todo sea igual.*

»Sucede que anoche estuve escuchando a una mujer que tocaba el piano. Tocó magistralmente, como rara vez había escuchado. Mientras escuchaba la melodía, pensaba en todos los que habían sufrido para componer aquellas sonatas, preludios, adagios; en el ridículo que pasaron cuando dieron a conocer sus piezas, diferentes, a quienes mandaban en el mundo de la música; en la dificultad y humillación de conseguir a alguien que financiase una orquesta. En los abucheos que quizá recibieron de un público que no estaba aún acostumbrado a tales armonías.

»Pero más que todo eso, pensaba: no sólo los compositores sufrieron, sino que esa muchacha los está tocando con tanta alma porque sabe que va a morir. Y yo, ¿no voy a morir también? ¿Dónde dejé mi alma para poder tocar la música de mi vida con el mismo entusiasmo?

El doctor Igor escuchaba en silencio. Parecía que todo lo que había pensado estaba dando resultado, pero aún era pronto para tener certeza.

—¿Dónde dejé mi alma? —preguntó Mari de nuevo—. En mi pasado. En aquello que quise que fuera mi vida. Dejé mi alma presa en aquel momento en que había una casa, un marido, un empleo del que me quería librar, pero nunca tuve valor para hacerlo.

»Mi alma estaba en mi pasado. Pero hoy ha venido hasta aquí y yo la siento de nuevo en mi cuerpo, llena de entusiasmo. No sé qué hacer; sólo sé que tardé tres años para entender que la vida me empujaba hacia un camino diferente y yo no quería ir.

—Creo encontrar algunos síntomas de mejoría —dijo el doctor Igor.

—Para dejar Villete no necesitaba solicitarlo. Basta con cruzar el portón de entrada y no regresar más. Pero necesitaba decirle todo esto a alguien y se lo estoy diciendo a usted, doctor: la muerte de esta chica me ha hecho entender mi vida.

—Pienso que estos síntomas de mejoría se están transformando en una cura milagrosa —rió el doctor Igor—. ¿Qué piensa hacer?

—Irme a El Salvador a cuidar niños.

—No necesita ir tan lejos: a menos de 200 kilómetros de aquí está Sarajevo. La guerra ha concluido, pero los problemas siguen.

—Iré a Sarajevo.

El doctor Igor sacó un formulario de la gaveta y lo llenó cuidadosamente. Luego se levantó y condujo a Mari hasta la puerta.

—Vaya usted con Dios —le dijo, mientras cerraba la puerta y se dirigía al escritorio.

No le gustaba encariñarse con sus pacientes, pero nunca conseguía evitarlo. Se iba a notar la falta de Mari en Villete.

Cuando Eduard abrió los ojos, la chica aún continuaba allí. En sus primeras sesiones de electrochoque pasaba mucho tiempo tratando de recordar lo que le había sucedido; al cabo, éste era justamente el efecto terapéutico de aquel tratamiento: provocar una amnesia parcial, para que el enfermo olvidara el problema que le afligía y de eso modo se calmara.

Sin embargo, a medida que los electrochoques eran aplicados con mayor frecuencia, sus efectos no se dejaban sentir por mucho tiempo, y en seguida identificó a la chica.

—Mientras dormías hablaste de las visiones del Paraíso —dijo ella pasando una mano por sus cabellos.

¿Visiones del Paraíso? Sí, visiones del Paraíso. Eduard la miró. Quería contarlo todo.

En ese momento, empero, entró una enfermera con una jeringa.

—Tengo que ponérsela ahora —le dijo a Veronika—. Órdenes del doctor Igor.

—Ya me la pusieron hoy y no me van a volver a poner —respondió—. Tampoco me interesa salir de este lugar. No voy a obedecer ninguna orden, ninguna regla, nada que me quieran forzar a hacer.

La enfermera parecía acostumbrada a este tipo de reacción.

—Entonces, por desgracia, la tendremos que sedar.

—Tengo que hablar contigo —dijo Eduard—. Déjate inyectar.

Veronika se arremangó el suéter y la enfermera le aplicó la droga.

—Buena chica —dijo—. ¿Por qué no salen de este dormitorio lúgubre y van a pasear un poco allá afuera?

—Sientes vergüenza por lo que sucedió anoche —dijo Eduard, en cuanto caminaron por el jardín.

—La sentí. Ahora estoy orgullosa. Quiero saber de las visiones del Paraíso, porque estuve muy próxima de una de ellas.

—Quiero mirar más lejos, más allá de los edificios de Villete —dijo él.

—Hazlo.

Eduard miró para atrás, no a las paredes de los dormitorios ni al jardín, donde los enfermos caminaban en silencio, sino a una calle en otro continente, en una tierra donde llovía mucho o no llovía nada.

Eduard podía percibir el olor de aquella tierra: era tiempo de la seca y el polvo entraba por su nariz y sentía gusto, porque sentir la tierra es sentirse vivo. Pedaleaba una bicicleta importada, tenía diecisiete años y acababa de salir del Colegio Americano de Brasilia, donde estudiaban los hijos de los demás diplomáticos.

Detestaba Brasilia, pero le gustaban los brasileños. Su padre había sido nombrado embajador de Yugoslavia dos años antes, cuando nadie soñaba siquiera con la sangrienta división del país. Milosevic aún estaba en el poder; hombres y mujeres convivían con sus diferencias y procuraban armonizarse más allá de los conflictos regionales.

El primer puesto de su padre era precisamente Brasil. Eduard soñaba con playas, carnaval, partidos de fútbol, música, pero fue a dar a aquella capital, lejos de la costa, creada sólo para albergar a políticos, burócratas, diplomáticos y los hijos de todos ellos, que no sabían muy bien qué hacer en medio de todo aquello.

Eduard detestaba vivir allí. Se pasaba el día metido en los estudios, tratando —sin conseguirlo— de relacionarse con sus compañeros; buscando —sin conseguirlo— una manera de in-

teresarse por los coches, los tenis de moda, las ropas de marca, únicos temas de conversación entre los jóvenes.

De vez en cuando había una fiesta, donde los jóvenes se emborrachaban en un lado del salón y las chicas fingían indiferencia en el otro lado. La droga corría siempre y Eduard ya había experimentado todas las variedades posibles, sin jamás lograr interesarse por ninguna de ellas; sentía mucha somnolencia o agitación y perdía el interés por lo que sucedía a su alrededor.

Su familia vivía preocupada. Era necesario prepararlo para que siguiera la misma carrera del padre y si bien Eduard tenía casi todos los talentos necesarios —deseos de estudiar, buen gusto artístico, facilidad para las lenguas, interés por la política— le faltaba una cualidad básica en la diplomacia: tenía dificultad en el trato con los demás.

Por más que sus padres lo llevaran a fiestas, abrieran la casa a sus amigos del Colegio Americano y le dieran una buena mesada, eran raras las veces que Eduard se presentara con alguien. Un día su madre le preguntó por qué no traía a sus amigos a comer o cenar.

—Ya sé todas las marcas de tenis; ya conozco el nombre de todas las chicas con las que es fácil hacer el amor. No tenemos nada interesante que contar.

Hasta que apareció la brasileña. El embajador y su mujer se tranquilizaron más cuando el hijo comenzó a salir, regresando tarde a casa. Nadie sabía exactamente de dónde había salido ella, pero cierta noche Eduard la llevó a cenar a su casa. Era una chica

educada y les gustó a los padres. El muchacho, por fin, iba a desarrollar su talento para relacionarse con extraños. Además, ambos pensaron —aunque no lo comentaron entre sí— que la presencia de aquella chica les quitaba una gran carga de sus hombros: ¡Eduard no era homosexual!

Trataron a María (así se llamaba) con la gentileza de futuros suegros, aunque sabían que en dos años serían transferidos a otro lugar y no tenían la intención de que su hijo se casara con alguien de un país tan exótico. Sus planes eran que el muchacho encontrase una chica de buena familia de Francia o Alemania, que pudiera acompañar con dignidad la brillante carrera diplomática que el embajador estaba preparándole.

Eduard, sin embargo, cada vez estaba más enamorado. Preocupada, la madre conversó con el marido:

—El arte de la diplomacia consiste en hacer que el contrario espere —dijo el embajador—. Un primer amor puede que nunca pase, pero siempre acaba.

Pero Eduard daba señales de haber cambiado por completo. Comenzó a aparecer por casa con libros extraños, montó una pirámide en su recámara y, junto con María, prendían incienso todas las noches y se concentraban en un extraño dibujo clavado en la pared. El rendimiento de Eduard en el Colegio Americano comenzó a decaer.

La madre no entendía portugués, pero podía ver la cubierta de los libros: cruces, hogueras, brujas ahorcadas, símbolos exóticos.

—Nuestro hijo está leyendo cosas peligrosas.

—Peligroso es lo que está sucediendo en los Balcanes —con-

testó el embajador—. Hay rumores de que la región de Eslovenia quiere la independencia y esto nos puede conducir a una guerra.

La madre, sin embargo, no le daba la menor importancia a la política; a ella le interesaba lo que le ocurría a su hijo.

—¿Y esta manía de encender incienso?

—Es para disimular el olor a marihuana —decía el embajador—. Nuestro hijo ha tenido una excelente educación; no puede creer que esos palitos perfumados pueden atraer espíritus.

—¡Nuestro hijo anda metido en drogas!

—Ya se le pasará. Yo también fumé marihuana cuando joven y la gente luego se harta, como yo me harté.

La mujer se sintió orgullosa y tranquila: su marido era un hombre experimentado; ¡había entrado en el mundo de la droga y había conseguido salir! Un hombre con esa fuerza de voluntad era capaz de controlar cualquier situación.

Un buen día, Eduard pidió una bicicleta.

—¡Tienes chofer y un Mercedes Benz! ¿Para qué una bicicleta?

—Para el contacto con la naturaleza. María y yo vamos a hacer un viaje de diez días —dijo—. Aquí cerca hay un lugar con inmensos depósitos de cristales y María asegura que transmiten buena energía.

Madre y padre habían sido educados en un régimen comunista: los cristales no eran más que un producto mineral con una determinada organización en sus átomos y no emanaban ningún tipo de energía, ni positiva ni negativa. Averiguaron y descubrieron que aquellas ideas de «vibraciones de cristales» se estaban poniendo de moda.

Si su hijo se pusiera a hablar del tema en alguna recepción oficial, podría parecer ridículo a los ojos de los demás. Por primera vez, el embajador reconoció que la situación comenzaba a volverse grave. Brasilia era una ciudad que vivía de rumores y pronto se sabría que Eduard practicaba supersticiones primitivas y sus rivales de la embajada podrían pensar que había aprendido aquello de sus padres, y la diplomacia, además del arte de esperar, era también la capacidad de mantener siempre, en cualquier circunstancia, una apariencia convencional y protocolaria.

—Hijo, esto no puede continuar así —le dijo el padre—. Tengo amigos en el Ministerio de Relaciones Exteriores de Yugoslavia. Puedes ser un brillante diplomático y es preciso que aprendas a enfrentarte al mundo.

Eduard salió de la casa y aquella noche no regresó. Sus padres hablaron a casa de María, fueron a la morgue, a los hospitales de la ciudad, sin que obtuvieran ninguna noticia. La madre perdió la confianza en la capacidad del marido para encabezar la familia, aunque fuera un excelente negociador con extraños.

Al día siguiente, Eduard apareció, hambriento y con sueño. Comió y se fue a su recámara, prendió sus inciensos, rezó sus mantras, durmió el resto de la tarde y la noche. Cuando despertó, le aguardaba una flamante bicicleta.

—Vete a ver tus cristales —le dijo su madre—. Yo se lo explicaré a tu padre.

Y así aquella tarde seca y polvorienta, Eduard se dirigió alegremente a la casa de María. La ciudad había sido tan bien trazada (en opinión de los arquitectos) o tan mal trazada (en opinión de Eduard) que casi no había esquinas. Él iba derecho por un carril de alta velocidad, mirando el cielo lleno de nubes que no dan lluvia, cuando sintió que subía en dirección a ese cielo a una velocidad inmensa, para en seguida descender y encontrarse en el asfalto.

¡PRAF!

«¡He sufrido un accidente!»

Quiso voltearse, porque tenía la cara pegada al asfalto, pero se dio cuenta de que no tenía control sobre su cuerpo. Escuchó el ruido de frenos de los coches, gente que gritaba, alguien que se aproximó y trató de tocarlo, para luego escuchar un grito de «¡No lo toquen! ¡Si alguien lo toca, puede quedar lisiado para el resto de su vida!».

Los segundos pasaron lentos y Eduard comenzó a sentir miedo. Al contrario de sus padres, creía en Dios y en una vida después de la muerte, pero aun así encontraba injusto todo aquello: morir a los 17 años, mirando el asfalto, en una tierra que no era la suya...

—¿Se encuentra bien? —escuchó que le preguntaban.

No, no estaba bien; no podía moverse y tampoco conseguía decir nada. Lo peor de todo era que no perdía la conciencia; sabía exactamente lo que estaba pasando y en lo que estaba metido. ¿Sería que no se iba a desmayar? ¡Dios no tenía piedad de él, justamente en un momento en que Lo buscaba con tanta intensidad, contra todo y contra todos!

—Ya vienen los médicos —susurró otra persona, tomándole la mano—. No sé si me puede oír, pero cálmese. No es nada grave.

Sí, podía oír y quería que aquella persona, un hombre, continuara hablando y le asegurase que no era nada grave, aunque ya era lo bastante adulto para entender que siempre dicen eso cuando la situación es muy seria. Pensó en María, en el lugar donde había montañas de cristales llenos de energía positiva... mientras que Brasilia era la mayor concentración de negatividad que había conocido en sus meditaciones.

Los segundos se transformaron en minutos, las personas continuaban tratando de consolarlo y por primera vez desde que había ocurrido aquello comenzó a sentir dolor. Un dolor agudo que venía del centro de su cabeza y parecía extenderse por todo su cuerpo.

—Ya han llegado —dijo el hombre que le tenía la mano—. Mañana estará usted de nuevo yendo en bicicleta.

Pero al día siguiente, Eduard estaba en un hospital, con las dos piernas y un brazo enyesados, sin posibilidad de salir de allí en los próximos treinta días, escuchando a su madre que lloraba sin parar, su padre llamando nervioso por teléfono, los médicos repitiendo cada cinco minutos que las veinticuatro horas más graves ya habían pasado y no tenía ninguna lesión cerebral.

La familia telefoneó a la Embajada Estadounidense, que nunca creía en los pronósticos de los hospitales públicos y mantenía un servicio de urgencias sofisticadísimo, junto con una lista de

médicos brasileños considerados capaces de atender a sus propios diplomáticos. De vez en cuando, por política de buena vecindad ponían esos servicios a disposición de otras representaciones diplomáticas.

Los norteamericanos trajeron sus aparatos última generación, hicieron un número diez veces mayor de pruebas y análisis nuevos y llegaron a la conclusión a la que siempre llegaban: los médicos del hospital público habían evaluado correctamente y tomado las decisiones correctas.

Los médicos del hospital público podían ser buenos, pero los programas de la televisión brasileña eran tan malos como los de cualquier otra parte del mundo y Eduard tenía poco que hacer. María aparecía cada vez menos por el hospital; quizá había encontrado otro compañero que fuera con ella a las montañas de cristales.

En contraposición al extraño comportamiento de su enamorada, el embajador y su esposa iban cada día a visitarlo, pero se negaban a llevarle los libros en portugués que él tenía en casa, alegando que en breve serían transferidos y no tenía necesidad de aprender una lengua que nunca más usaría. Así las cosas, Eduard tenía que contentarse con charlar con otros enfermos, hablar de fútbol con los enfermeros y leer alguna que otra revista que le caía en las manos.

Hasta que un día, uno de los enfermeros le trajo un libro que había recibido, pero que le parecía «demasiado gordo para leerlo». Y en ese momento, la vida de Eduard se encauzó por un

camino extraño que lo llevaría a Villete, a la ausencia de la realidad y al distanciamiento completo de las cosas que otros jóvenes de su edad harían en los años por venir.

El libro versaba sobre los visionarios que estremecieron el mundo; gente que había tenido su propia idea del paraíso terrestre y había dedicado su vida a compartirla con los demás. Allí estaba Jesucristo, pero también Darwin, con su teoría de que el hombre descendía de los monos; Freud, que afirmaba que los sueños tenían importancia; Colón, empeñando las joyas de la reina para buscar un nuevo continente; Marx, con la idea de que todos merecían la misma oportunidad.

Allí había santos, como Ignacio de Loyola, un vasco que se acostó con todas las mujeres con que se pudo acostar, mató a muchos enemigos en innumerables batallas, hasta que en Pamplona fue herido y entendió el universo en una cama, donde convalecía. Teresa de Ávila, que quería por todos los medios encontrar el camino de Dios y sólo lo consiguió cuando paseando desprevenidamente por un corredor se detuvo delante de un cuadro. Antonio, un hombre cansado de la vida que llevaba, que decidió desterrarse al desierto y convivió diez años con demonios, experimentando todo tipo de tentación. Francisco de Asís, un joven como él que conversaba con los pájaros y dejó atrás todo lo que sus padres le habían programado para su vida.

Aquella misma tarde se puso a leer el tal «libro gordo», porque no tenía nada mejor para distraerse. A la mitad de la noche entró una enfermera preguntándole si necesitaba ayuda, porque era

el único cuarto que aún tenía prendida la luz. Eduard se desentendió con un leve movimiento de la mano, sin despegar los ojos del libro.

Los hombres y mujeres que estremecieron al mundo. Hombres y mujeres comunes, como él, como su padre o la enamorada que sabía estaba perdiendo, llenos de las mismas dudas e inquietudes que los demás seres humanos sentían en su vida cotidiana. Gente que no tenía un interés especial por la religión, por Dios, por la expansión de la mente o por la nueva conciencia, hasta que un día decidieron cambiar todo. El libro era tanto más interesante cuanto que contaba que, en cada una de aquellas vidas, había un momento mágico que los hizo partir en busca de su propia visión del Paraíso.

Gente que no dejó que la vida pasara en blanco y que, para conseguir lo que quería, había pedido limosna o formado parte de las cortes reales; había roto códigos o enfrentado la ira de los poderosos de su época; usado la diplomacia o la fuerza, sin nunca desistir, siempre capaz de vencer cada dificultad que transformaban en una ventaja.

Al siguiente día, Eduard le entregó su reloj de oro al enfermero que le había dado el libro, le pidió que lo vendiera y que le comprase todos los libros sobre el tema. No los había. Trató de leer la biografía de uno de ellos, pero siempre describían al hombre o a la mujer como unos elegidos o unos inspirados y no como personas comunes que tenían que luchar como los demás para sustentar lo que pensaban.

Eduard había quedado tan impresionado con lo que había leído que consideró seriamente la posibilidad de hacerse santo, aprove-

chando el accidente para cambiar de rumbo su vida. Pero tenía las piernas rotas, no había tenido ninguna visión en el hospital, no había pasado por delante de un cuadro que le hubiera sacudido el alma, no tenía amigos para construir una capilla en el altiplano brasileño y los desiertos estaban muy lejos, llenos de problemas políticos. Pero aun así podía hacer algo: aprender pintura y tratar de mostrar al mundo las visiones que habían tenido aquellos hombres y mujeres.

Cuando le retiraron el yeso y regresó a la embajada, rodeado de cuidados, mimos y todo tipo de atención que un hijo de embajador recibe de los demás diplomáticos, le pidió a su madre que lo inscribiera en un curso de pintura.

La madre le contestó que ya había perdido muchas clases en el Colegio Americano y que era hora de recuperar ese tiempo perdido. Eduard se negó: no tenía el menor deseo de continuar aprendiendo geografía y ciencias.

Quería ser pintor. En un momento de distracción explicó el motivo:

—Quiero pintar las visiones del Paraíso.

Su madre no dijo nada y prometió conversar con sus amigas para saber cuál era la mejor escuela de pintura de la ciudad.

Cuando el embajador regresó del trabajo, aquella tarde, la encontró llorando en su recámara.

—Nuestro hijo está loco —decía, mientras le corrían las lágrimas—. El accidente le ha afectado el cerebro.

—¡Imposible! —respondió indignado el embajador—. Los médicos indicados por los estadounidenses lo examinaron.

La mujer contó lo que había oído.

—Es la rebeldía normal de la juventud. Espera y verás que todo vuelve a la normalidad.

Pero esta vez de nada sirvió esperar, porque Eduard tenía prisa por comenzar a vivir. Dos días después, cansado de esperar la recomendación de las amigas de su madre, se decidió a matricularse en un curso de pintura. Comenzó a aprender la escala de colores y la perspectiva, pero también comenzó a convivir con gente que nunca hablaba de marcas de tenis o de modelos de coches.

—¡Convive con artistas! —decía la madre, llorosa, al embajador.

—Deja al chico —respondía el embajador—. Pronto se va a aburrir, como se aburrió de la enamorada, de los cristales, de las pirámides, del incienso y de la marihuana.

Pero el tiempo pasaba y el cuarto de Eduard se transformaba en un improvisado *atelier*, con pinturas que carecían de sentido para sus padres: eran círculos, combinaciones exóticas de colores, símbolos primitivos mezclados con gente en actitud de rezar.

Eduard, el antiguo muchacho solitario que en dos años en Brasilia nunca había llevado amigos a su casa, ahora la llenaba de personas extrañas, todas ellas mal vestidas, los cabellos revueltos, y escuchaban discos horribles a todo volumen, bebían y fumaban

sin límite, mostrando total ignorancia de los dictados de la buena conducta. Cierto día, la directora del Colegio Americano mandó llamar a la embajadora.

—Su hijo ha de andar metido en drogas —le dijo—. Su rendimiento escolar está por debajo de lo normal y si continúa así no podremos admitirlo en el próximo curso.

La mujer fue directamente al despacho del embajador y le contó lo que le acababan de decir.

—¡Te la pasaste diciendo que el tiempo haría que todo volviera a la normalidad! —gritaba, histérica—. ¡Tu hijo está drogado, loco, con problemas cerebrales gravísimos, mientras te dedicas a coqueteos y reuniones sociales!

—Habla bajo —le pidió.

—¡No voy a hablar bajo, por nada del mundo, mientras no adoptes una actitud! Este niño necesita ayuda, ¿me entiendes? ¡Ayuda médica! ¡Haz algo!

Molesto por pensar que el escándalo que armaba su mujer pudiera perjudicarlo frente a los demás funcionarios y preocupado porque el interés de Eduard por la pintura ya duraba más tiempo del esperado, el embajador, hombre práctico que sabía cómo desenvolverse, elaboró una estrategia para atacar directamente el problema.

Primero telefoneó a su colega, el embajador norteamericano, y le suplicó que tuviera la gentileza de permitir el uso de los aparatos de examen de la embajada. La petición le fue aceptada.

Buscó de nuevo a los médicos acreditados, les explicó la situación y solicitó una revisión de todos los exámenes anteriores. Los médicos, temerosos de que aquello pudiera acarrearles un

proceso, hicieron exactamente lo que se les pidió y concluyeron que los exámenes no presentaban nada anormal. Antes de que saliera el embajador, le exigieron que firmase un documento en el que se decía que a partir de aquella fecha eximía a la embajada estadounidense de la responsabilidad de haber indicado sus nombres.

En seguida, el embajador acudió al hospital donde había sido internado Eduard. Conversó con el director, explicó el problema de su hijo y solicitó que, con el pretexto de un chequeo de rutina, se procediera a un examen de sangre para detectar la presencia de drogas en el organismo del muchacho.

Así se hizo, pero no se encontró droga alguna.

Quedaba la tercera y última etapa de la estrategia: conversar con el propio Eduard y cerciorarse de lo que le pasaba. Sólo en posesión de toda la información podría tomar una decisión atinada.

Padre e hijo se sentaron en la sala de su casa.

—Tienes preocupada a tu madre —le dijo el embajador—. Tus calificaciones han bajado y corres el riesgo de no ser aceptado el próximo año.

—Mis notas en el curso de pintura han aumentado, papá.

—Encuentro muy gratificante tu interés por el arte, pero tienes toda una vida por delante para hacer eso. Por ahora es nece-

sario que termines la enseñanza media para que pueda encaminarte a la carrera diplomática.

Eduard reflexionó mucho antes de decir nada. Repasó el accidente, el libro sobre los visionarios, que sólo fue un pretexto para dar con su verdadera vocación, pensó en María, de la que ya no había vuelto a saber. Titubeó mucho, pero al final respondió:

—Papá, yo no quiero ser diplomático. Quiero ser pintor.

El padre ya estaba preparado para esta respuesta y sabía cómo manejarla:

—Serás pintor, pero antes termina tus estudios. Prepararemos exposiciones en Belgrado, Zagreb, Ljubljana, Sarajevo. Con las influencias que tengo puedo ayudarte mucho, pero es necesario que termines los estudios.

—Si hago esto, escogeré el camino más fácil, papá. Entraré en cualquier facultad, me formaré en algo que no me interesa, pero que me dará dinero. Mientras, la pintura pasará a segundo plano y terminaré olvidando mi vocación. Tengo que ganar dinero con la pintura.

El embajador comenzó a irritarse.

—Tú lo tienes todo, hijo: una familia que te quiere, casa, dinero, posición social. Pero sabes que nuestro país está viviendo un periodo complicado y hay rumores de guerra civil. Puede ser que mañana yo ya no esté aquí para ayudarte.

—Yo sabré ayudarme, papá. Confía en mí. Un día pintaré una serie llamada «Las Visiones del Paraíso». Será la historia visual de lo que hombres y mujeres sólo experimentan en sus corazones.

El embajador elogió la determinación de su hijo, terminó la

conversación con una sonrisa y decidió dar un mes más de plazo. Al fin y al cabo, la diplomacia es el arte de posponer decisiones hasta que se resuelvan por sí mismas.

Pasó un mes y Eduard continuó dedicando todo su tiempo a la pintura, a amigos extraños, a una clase de música, todo lo cual tuvo que provocarle algún desequilibrio psicológico. Para agravar el cuadro, fue expulsado del Colegio Americano por discutir con una profesora sobre la existencia de los santos.

En una última tentativa, ya que no se podía postergar más tomar alguna decisión, el embajador volvió a llamar a su hijo para una conversación entre hombres.

—Eduard, ya estás en edad de asumir responsabilidades en tu vida. Hemos aguantado mientras ha sido posible, pero es hora de acabar con esa estupidez de querer ser pintor, y dar un rumbo a tu carrera.

—Papá, ser pintor es dar un rumbo a mi carrera.

—Estás olvidando nuestro amor, nuestros esfuerzos por darte una buena educación. Como nunca habías sido así, sólo puedo atribuir lo que te está sucediendo a una consecuencia del accidente.

—Los quiero a ustedes más que a cualquier otra persona o cosa en mi vida.

El embajador carraspeó. No estaba acostumbrado a manifestaciones tan directas de cariño.

—Entonces, en nombre del amor que nos tienes, por favor,

haz lo que desea tu madre. Deja un tiempo este asunto de la pintura, busca amigos que pertenezcan a tu nivel social y vuelve a estudiar.

—Tú me quieres, papá. No me puedes pedir esto, porque siempre me has dado buen ejemplo y has luchado por las cosas que he querido. No puedes querer que yo sea un hombre sin voluntad propia.

—Te he dicho: en nombre del amor. Nunca antes te había dicho una cosa así, pero te lo estoy pidiendo ahora. Por el amor que nos tienes, por el amor que nos tenemos, vuelve al hogar, no sólo en sentido físico sino en sentido real. Te estás engañando, estás huyendo de la realidad.

»Desde que naciste, hemos alimentado los mayores sueños de nuestras vidas. Tú lo eres todo para nosotros: nuestro futuro y nuestro pasado. Tus abuelos eran funcionarios públicos y tuve que luchar como un toro para crecer en esta carrera diplomática. Todo esto sólo para abrirte un camino y hacerte las cosas más fáciles. Tengo aún la pluma con que firmé mi primer documento como embajador, que he guardado con todo cariño para pasártela el día en que tengas que hacer lo mismo.

»No nos decepciones, hijo. No vamos a vivir mucho; queremos morir tranquilos, sabiendo que estás bien encaminado en la vida.

»Si realmente nos quieres, haz lo que estoy pidiendo. Si no nos quieres, sigue como estás.

Eduard pasó muchas horas mirando al cielo de Brasilia, viendo las nubes que pasaban por el azul, bonitas, sin una gota de llu-

via que derramar sobre la tierra seca del altiplano central brasileño. Estaba vacío como ellas.

Si continuaba con su elección, su madre acabaría enflaqueciendo de sufrimiento, su padre perdería el entusiasmo por su carrera y ambos se culparían por el fracaso en la educación de su querido hijo. Si desistiera de la pintura, las visiones del Paraíso nunca verían la luz del día y nada en este mundo le podría dar entusiasmo ni placer.

Miró en torno suyo, vio sus cuadros, recordó el amor y el sentido de cada pincelada y los halló todos mediocres. Él era un fraude. Quería ser una cosa para la que nunca había sido escogido y su precio sería la decepción de sus padres.

Las visiones del Paraíso eran para hombres elegidos que aparecían en los libros como héroes y mártires de la fe en lo que creían. Gente que ya sabía desde niños que el mundo necesitaba de ellos (lo que aparecía escrito en el libro era invención del novelista).

A la hora de la cena dijo a sus padres que tenían razón: aquello era un sueño de juventud y ya se le había pasado el entusiasmo por la pintura. Los papás se alegraron y la madre lloró de contento y abrazó al hijo. Todo había vuelto a la normalidad.

Por la noche, el embajador conmemoró secretamente su victoria descorchando una botella de champaña, que bebió solo. Cuando se dirigió a la recámara, su mujer, por primera vez en muchos meses, ya estaba durmiendo tranquila.

Al día siguiente, encontraron la recámara de Eduard destruida, las pinturas destrozadas con un objeto cortante y al muchacho sentado en un rincón, mirando el cielo. La madre lo abrazó, le dijo cuánto lo amaba, pero Eduard no respondió.

No quería saber más de amor: estaba harto de esa historia. Pensaba que podía desistir y seguir los consejos del padre, pero había ido muy lejos en su trabajo y había atravesado el abismo que separa al hombre de su sueño y ya no podía regresar.

No podía ir ya ni para adelante ni para atrás. Entonces era más fácil salir de la escena.

Eduard permaneció aún más de cinco meses en Brasil y fue tratado por especialistas, los cuales le diagnosticaron un tipo raro de esquizofrenia, tal vez resultante de un accidente de bicicleta. Luego estalló la guerra civil en Yugoslavia, el embajador fue llamado con urgencia, los problemas se fueron acumulando en exceso para que la familia pudiera prestarle atención y la única salida fue dejarlo en el recién abierto sanatorio de Villete.

Cuando Eduard acabó de contar su historia ya era de noche y los dos temblaban de frío.

—Entremos —dijo él—. Ya están sirviendo la cena.

—De niña, siempre que iba a visitar a mi abuela me quedaba contemplando un cuadro que tenía en la pared de su casa. Era una mujer —Nuestra Señora, como dicen los católicos— situada sobre el mundo, con las manos, de donde salían rayos, extendidas hacia la Tierra.

»Lo que más me intrigaba del cuadro es que esa señora estaba pisando una serpiente viva. Entonces le pregunté a mi abuela: "¿No tiene miedo de la serpiente? ¿No cree que vaya a morderle el pie y matarla con su veneno?".

»Mi abuela me dijo: "La serpiente trajo el Bien y el Mal a la Tierra, como dice la Biblia. Y ella controla el Bien y el Mal con su amor".

—¿Qué tiene que ver eso con mi historia?

—Como te conocí hace sólo una semana, sería muy pronto para decir «Te amo». Pero como no he de pasar de esta noche, sería también muy tarde para decírtelo. Pero la gran locura del hombre y de la mujer es exactamente ésta: el amor.

»Me has contado una historia de amor. Creo que, sinceramente, tus padres querían lo mejor para ti y ha sido ese amor el que casi destruye su vida. Si la Señora del cuadro de mi abuela estaba pisando la serpiente, esto significa que este amor tiene dos caras.

—Entiendo lo que estás diciendo —dijo Eduard—. Yo provoqué el choque eléctrico, porque me dejas confuso. No sé lo que siento y el amor ya me destruyó una vez.

—No tengas miedo. Hoy le pedí al doctor Igor salir de aquí, escoger el lugar donde quisiera cerrar los ojos para siempre. Pero cuando vi que te agarraban los enfermeros, entendí cuál era la imagen que quería estar contemplando al partir de este mundo: tu cara. Y resolví no marcharme.

»Mientras dormías por el efecto del choque, tuve otro ataque y pensé que había llegado mi hora. Miré tu cara, traté de adivinar tu historia y me preparé para morir feliz. Pero la muerte no llegó. Mi corazón resistió una vez más, quizá porque soy joven.

Él bajó la cabeza.

—No te avergüences de ser amado. No estoy pidiendo nada; sólo que me dejes gustar de ti, tocar el piano una noche más, si aún tengo fuerzas para eso.

»A cambio sólo te pido una cosa: si oyes que alguien dice que estoy muriendo, ve hasta el dormitorio. Deja que se realice mi deseo.

Eduard se quedó callado largo tiempo y Veronika se dio cuenta de que había regresado a su mundo, para no regresar pronto.

Por fin, él miró las montañas de más allá de las paredes de Villete y dijo:

—Si quieres salir, te llevaré fuera. Dame tiempo sólo para tomar los abrigos y algo de dinero. En seguida saldremos los dos.

—No va a durar mucho, Eduard. Tú lo sabes.

Eduard no respondió. Entró y salió en seguida con los abrigos.

—Va a durar una eternidad, Veronika. Más que todos los días y noches iguales que pasé aquí, tratando siempre de olvidar las visiones del Paraíso. Casi las olvidé, pero parece que están regresando.

»Vámonos. Los locos hacen locuras.

Aquella noche, cuando se reunieron para cenar, los internos sintieron la falta de cuatro personas.

Zedka, que todos sabían había sido curada después de un largo tratamiento. Mari, que habría ido al cine, como acostumbraba hacer con frecuencia. Eduard, que quizá aún no se había recuperado del electrochoque (y al pensar esto, todos los internos sintieron miedo y se pusieron a comer en silencio).

Por fin, faltaba la muchacha de ojos verdes y cabellos castaños. Aquella que todos sin excepción sabían no llegaría viva al final de la semana.

Nadie hablaba abiertamente de la muerte en Villete, pero se notaban las ausencias, aunque todos trataban de comportarse como si nada hubiera ocurrido.

Un rumor comenzó a correr de mesa en mesa. Algunos lloraban, porque ella estaba llena de vida y ahora estaría en la pequeña morgue de detrás del sanatorio. Sólo los más atrevidos acostumbraban pasar por allí, incluso durante el día, cuando la luz lo iluminaba todo. Había tres mesas de mármol y por lo general una de ellas tenía siempre un cuerpo nuevo, cubierto por una sábana.

Todos sabían que esa noche Veronika estaba allí. Los que estaban realmente locos, pronto olvidaron que aquella semana el sanatorio había tenido un huésped que a veces perturbaba el sueño de todo el mundo con el piano. Algunos pocos, en cuanto corrió la noticia, sintieron cierta tristeza, principalmente las enfermeras que estuvieron con Veronika durante la noche en la unidad de cuidados intensivos, pero los empleados habían sido entrenados a no crear lazos muy fuertes con los enfermos, ya que unos salían, otros morían y la gran mayoría empeoraba cada día más. La tristeza de los empleados duró un poco más, pero luego también pasó.

La gran mayoría de los internos, sin embargo, supo la noticia, fingió espanto, tristeza, pero quedó aliviada. Porque una vez más, el Ángel Exterminador había pasado por Villete y habían quedado a salvo.

Cuando la Fraternidad se reunió después de la cena, un miembro del grupo trajo la noticia: Mari no había ido al cine: se había marchado para no regresar nunca y había dejado un recado con él.

Nadie pareció dar mucha importancia: ella siempre había parecido diferente, demasiado loca, incapaz de adaptarse a la situación ideal en que todos allí vivían.

—Mari nunca entendió lo felices que somos —dijo uno de ellos—. Tenemos amigos con gustos comunes, seguimos una rutina, de vez en cuando salimos juntos para ir a ver un programa, invitamos a conferencistas para que nos hablen de temas importantes, debatimos sus ideas. Nuestra vida ha alcanzado el equilibrio perfecto, cosa que tanta gente afuera quisiera tener.

—Sin contar el hecho de que en Villete estamos protegidos contra el desempleo, las consecuencias de la guerra en Bosnia, los problemas económicos, la violencia —comentó otro—. Hemos encontrado la armonía.

—Mari me entregó un recado —dijo quien había dado la noticia, mostrando un sobre cerrado—. Pidió que lo leyera en voz alta, como si quisiera despedirse de todos.

El mayor de todos abrió el sobre e hizo lo que Mari había pedido. Quiso detenerse a mitad de la lectura, pero ya era demasiado tarde y leyó hasta el final.

Cuando yo aún era una joven abogada, leí cierta vez a un poeta inglés y una frase suya me marcó mucho: «Hay que ser como la fuente que desborda y no como el tanque que siempre contiene agua». Siempre me pareció que estaba equivocado: era peligroso desbordarse, porque podemos terminar inundando zonas donde viven personas queridas y ahogarlas con nuestro amor y nuestro entusiasmo. Entonces traté de comportarme la vida entera como un tanque, sin ir nunca más allá de los límites de mis paredes interiores.

Sucedió que, por alguna razón que nunca entenderé, tuve el síndrome del pánico. Me transformé, exactamente, en aquello que tanto luché por evitar: una fuente que se desbordó e inundó todo en derredor mío. El resultado de eso fue mi hospitalización en Villete.

Una vez curada, me volví de nuevo un tanque, y los conocí a ustedes. Gracias por la amistad, por el cariño y por tantos momentos felices. Vivimos juntos como peces en un acuario, felices porque alguien nos daba la comida a la hora debida y nosotros, siempre que lo deseábamos, podíamos ver el mundo desde afuera, a través del vidrio.

Pero ayer, por causa de un piano y de una mujer que hoy ha de estar ya muerta, descubrí algo muy importante: que la vida aquí adentro era exactamente igual a la vida de afuera. Tanto allí como aquí, la gente se reúne en grupos, levanta murallas y no

deja que nada extraño perturbe sus mediocres existencias. Hace cosas porque está acostumbrada a hacerlas, estudia temas inútiles, se divierte porque está obligada a divertirse, y que el resto del mundo se las arregle como pueda. A lo más, la gente ve —como tantas veces nosotros los veíamos juntos— los noticieros de la televisión, sólo para estar segura de lo feliz que es en un mundo lleno de problemas y de injusticias.

O sea, la vida de la Fraternidad es exactamente igual a la vida que todo el mundo lleva afuera: todos evitan saber de lo que se encuentra más allá de las paredes de vidrio del acuario. Durante mucho tiempo, esto fue reconfortante y útil. Pero la gente cambia y ahora yo voy en busca de aventura, incluso a mis sesenta y cinco años y sabiendo las muchas limitaciones que esta edad me trae. Me voy a Bosnia. Allí hay gente que me espera, aunque aún no me conozca ni yo tampoco la conozca. Pero sé que soy útil y que el riesgo de una aventura vale mil días de bienestar y comodidad.

Cuando se terminó la lectura de la carta, los miembros de la Fraternidad fueron a sus cuartos y dormitorios, diciéndose que Mari, definitivamente, había enloquecido.

Eduard y Veronika escogieron el restaurante más caro de Ljubljana, pidieron los mejores platillos, se embriagaron con tres botellas de vino cosecha 88, una de las mejores del siglo. Durante la cena no hablaron ni una vez de Villete, ni del pasado, ni del futuro.

—Me gusta esa historia de la serpiente —decía él, volviendo a llenar la copa por milésima vez—. Pero tu abuela era muy vieja y no sabía interpretar la historia.

—¡Respeta a mi abuela! —gritaba Veronika, ya borracha, haciendo que todos en el restaurante se voltearan.

—¡Un brindis por la abuela de esta joven! —dijo Eduard, levantándose—. Un brindis por la abuela de esta loca que tengo aquí delante y que seguro se ha escapado de Villete!

Las personas volvieron a sus platos, sin hacer ningún caso.

—¡Un brindis por mi abuela! —insistió Veronika.

El dueño del restaurante se acercó a la mesa.

—Por favor, cálmense.

Se quedaron más tranquilos unos instantes, pero en seguida volvieron a hablar alto, a decir cosas sin sentido, a actuar de manera inconveniente. El dueño volvió y dijo que no era preci-

so que pagaran la cuenta pero que salieran en aquel instante.

—¡Nos vamos a ahorrar el dinero de estos vinos carísimos! —brindó Eduard—, ¡Salgamos de aquí antes de que este hombre cambie de idea!

Pero el hombre no cambió de idea. Ya estaba jalando la silla de Veronika, con un ademán al parecer cortés, pero cuyo verdadero sentido era ayudarla a que se levantara lo antes posible.

Se fueron al centro de la pequeña plaza. Veronika vio su cuarto del convento y en un instante se le pasó la embriaguez. Se volvió a acordar de que iba a morir pronto.

—¡Compra más vino! —le pidió a Eduard.

Cerca había un bar. Eduard trajo dos botellas y los dos se sentaron a seguir bebiendo.

—¿Qué está equivocado en la interpretación de mi abuela? —preguntó Veronika.

Eduard estaba tan ebrio que le fue preciso un gran esfuerzo para acordarse de lo que había dicho en el restaurante. Pero lo consiguió.

—Tu abuela dijo que la mujer estaba pisando aquella cobra porque el amor tiene que dominar al Bien y al Mal. Es una bonita y romántica interpretación, pero no es nada de eso, porque yo ya he visto esa imagen: es una de las visiones del Paraíso que yo pensaba pintar. Yo ya me había preguntado por qué siempre retrataban a la Virgen de esa manera.

—¿Por qué?

—Porque la Virgen, la energía femenina, es la gran domina-

dora de la serpiente, que significa sabiduría. Si te fijas en el anillo de médico del doctor Igor verás que tiene el símbolo de los médicos: dos serpientes enroscadas en un bastón. El amor está por encima de la sabiduría, como la Virgen está sobre la serpiente. Para ella, todo es Inspiración. Ella no juzga el Bien y el Mal.

—¿Sabes qué? —dijo Veronika—. La Virgen nunca hizo caso de lo que los demás pensaban. ¡Imagina, tener que explicar a todo el mundo la historia del Espíritu Santo! Ella no explicó nada; sólo dijo: «Me sucedió así». ¿Sabes lo que tuvieron que decir los demás?

—Claro que sí. ¡Que estaba loca!

Los dos se echaron a reír. Veronika levantó la copa.

—¡Felicidades! Tú tendrías que pintar esas visiones del Paraíso, en vez de estar hablando.

—Comenzaré contigo —repuso Eduard.

Junto a la pequeña plaza hay un monte pequeño en cuya cima se levanta un castillo. Veronika y Eduard subieron por la cuesta, maldiciendo y riendo, resbalando en el hielo y quejándose del cansancio.

Al lado del castillo hay una grúa amarilla gigantesca. Para quien visita Ljubljana por primera vez, aquella grúa le da la impresión de que están remodelando el castillo y que en breve quedará por completo restaurado. Los habitantes de Ljubljana, sin embargo, saben que la grúa está allí desde hace muchos años, aunque nadie sabe la verdadera razón. Veronika le contó a Eduard que cuando se les pide a los niños de kinder que pinten el castillo de Ljubljana siempre incluyen la grúa en el dibujo.

—Además, la grúa esta siempre mejor conservada que el castillo.

Eduard rió.

—Tú tendrías que estar muerta —comentó aún bajo el efecto del alcohol, pero con una voz que mostraba cierto miedo—. Tu corazón no tendría que haber soportado esta subida.

Veronika le dio un prolongado beso.

—Mira bien mi cara —le dijo ella—. Guárdala con los ojos de tu alma, para que un día puedas reproducirla. Si quieres, comienza por ella, pero vuelve a pintar. Ésta es mi última petición. ¿Crees en Dios?

—Creo.

—Entonces vas a jurar, por el Dios en el que crees, que me vas a pintar.

—Lo juro.

—Y que luego de pintarme continuarás pintando.

—No sé si puedo jurarlo.

—Sí puedes. Y te voy a decir más: gracias por haberle dado un sentido a mi vida. Yo vine al mundo para pasar por todo lo que pasé: intentar el suicidio, destruir mi corazón, encontrarte a ti, subir a este castillo y dejar que grabases mi cara en tu alma. Ésta es la única razón por la que vine al mundo: hacer que regreses al camino que interrumpiste. No hagas que yo sienta que mi vida fue inútil.

—Quizá sea demasiado pronto o demasiado tarde; sin embargo, de la misma manera que tú hiciste conmigo, yo te quiero decir: te amo. No es preciso que lo creas; tal vez sea una tontería mía, una fantasía mía.

Veronika se abrazó a Eduard y le pidió a Dios, en el que ella no creía, que se la llevara en aquel momento.

Cerró los ojos y sintió que él también hacía lo mismo. Y llegó el sueño, profundo, sin sueños. La muerte era dulce, olía a vino y acariciaba sus cabellos.

Eduard sintió que alguien le tocaba el hombro. Cuando abrió los ojos, el día estaba amaneciendo.

—Vayan a resguardarse en la alcaldía —dijo el guardia—. Se van a congelar si continúan aquí.

En una fracción de segundo él se acordó de todo lo que había pasado la noche anterior. En sus brazos había una mujer encogida.

—Ella... ella está muerta.

Pero la mujer se movió y abrió los ojos.

—¿Qué pasa? —preguntó Veronika.

—Nada —respondió Eduard, levantándola—. O, mejor, un milagro: un día más de vida.

Apenas el doctor Igor entró en su despacho y prendió la luz —el día continuaba amaneciendo tarde; aquel invierno estaba durando más de lo necesario—, un enfermero llamó a su puerta.

«Comienzo pronto hoy», pensó el doctor Igor.

Iba a ser un día complicado por causa de la conversación con la muchacha. Se había preparado toda la semana para esto y la noche anterior no había conseguido dormir bien.

—¡Tengo noticias alarmantes —dijo el enfermero—. Dos internos han desaparecido: el hijo del embajador y la chica con problemas cardiacos!

—¡Ustedes son unos incompetentes! ¡La seguridad de este hospital siempre ha dejado mucho que desear!

—Es que nadie intentó huir antes, doctor —respondió el enfermero, asustado—. No sabíamos que escapar fuese posible.

—¡Salga de aquí! Tengo que preparar una relación para los dueños, notificar a la policía, tomar una serie de providencias. ¡Y diga que no me pueden interrumpir, porque estas cosas llevan horas!

El enfermero salió, pálido, sabiendo que parte de aquel problema terminaría cayendo sobre sus hombros, porque es así como actúan los poderosos con los más débiles. Con toda certeza estaría despedido antes de que el día concluyese.

El doctor Igor tomó un bloc de papel, lo colocó encima del escritorio e iba a comenzar a hacer anotaciones cuando resolvió cambiar de idea.

Apagó la luz, se sentó al escritorio precariamente iluminado por el sol que aún estaba naciendo y sonrió. ¡Lo había conseguido!

Al poco rato tomaría las notas necesarias, relatando la única cura conocida para el Vitriolo —la conciencia de la vida— y explicando cuál era el medicamento que había empleado en su primer gran test con los pacientes: la conciencia de la muerte.

Quizá existieran otros medicamentos, pero el doctor Igor había decidido concentrar su tesis en lo único que había tenido oportunidad de experimentar científicamente, gracias a una chica que había entrado, sin querer, en su destino. Había llegado en un estado gravísimo, con una seria intoxicación e inicio de coma. Había estado entre la vida y la muerte durante casi una semana, tiempo necesario para que le viniera la gran idea de su experimento.

Todo dependía de una sola cosa: de la capacidad de la muchacha para sobrevivir.

Y ella lo había conseguido.

Sin ninguna consecuencia seria o problema irreversible. Si cuidaba de su salud, podría vivir tanto o más que él.

Pero el doctor Igor era el único que lo sabía, como sabía también que los suicidas frustrados tienden a repetir su acción pronto o tarde. ¿Por qué no utilizarla como conejillo de Indias, para ver si lograba eliminar de su organismo el Vitriolo o Amargura?

Y el doctor Igor concibió su plan.

Aplicando un remedio conocido como Fenotal consiguió simular los efectos de los ataques cardiacos. Durante una semana ella había recibido inyecciones de la droga y tuvo que haberse asustado mucho, porque tenía tiempo de pensar en la muerte y repasar su vida. De este modo, conforme a la tesis del doctor Igor («La conciencia de la muerte nos anima a vivir más» sería el título del capítulo final del trabajo) la joven eliminó de su organismo el Vitriolo y posiblemente no repetiría la acción.

Hoy tendría que haberse visto con ella y decirle que gracias a las inyecciones había conseguido revertir por completo el cuadro de los ataques cardiacos. La fuga de Veronika le había ahorrado la desagradable experiencia de mentir una vez más.

Con lo que el doctor Igor no contaba era con el efecto contagioso de una cura por envenenamiento de Vitriolo. Mucha gente en Villete se había asustado con la conciencia de la muerte lenta e irreparable. Todos estarían pensando en lo que estaban perdiendo y se verían forzados a revalorar sus vidas.

Mari había venido a pedir su alta. Otros enfermos pedían la revisión de sus casos. La situación del hijo del embajador era más preocupante, porque había desaparecido sin más, con seguridad intentando ayudar a Veronika a huir.

«Quizá aún están juntos», pensó.

Como fuera, el hijo del embajador sabía la dirección de Villete, si quería regresar. El doctor Igor estaba demasiado entusiasmado con los resultados para prestar atención a minucias.

Durante algunos instantes tuvo otra duda: pronto o tarde, Veronika se daría cuenta de que no iba a morir del corazón. Con seguridad acudiría con algún especialista y éste le diría que todo en su organismo estaba perfectamente normal. En ese instante, se percataría de que el médico que la atendió en Villete era un incompetente total. Sin embargo, todos los hombres que se atreven a investigar temas prohibidos necesitan cierto valor y aceptar una dosis de incomprensión.

Pero, ¿y los muchos días que ella viviría con el miedo a la muerte inminente?

El doctor Igor ponderó largamente la situación y resolvió: no era nada grave. Ella cada día lo consideraría un milagro, lo cual no deja de ser así, si se consideran todas las probabilidades de que sucedan cosas inesperadas en cada segundo de nuestra frágil existencia.

Se dio cuenta de que los rayos de sol ya se hacían más fuertes, lo que significaba que los internos, a esa hora, debían estar desayunando. En breve, su antesala estaría llena, regresarían los proble-

mas cotidianos y era mejor tomar cuanto antes las notas para su tesis.

Meticulosamente comenzó a redactar el experimento de Veronika. Dejaría para más tarde la exposición de la falta de condiciones de seguridad en el edificio.

Día de santa Bernadette, 1998